Spanish AS

ánimo 1

OXFORD
UNIVERSITY PRESS

OXFORD
UNIVERSITY PRESS

Great Clarendon Street, Oxford OX2 6DP

Oxford University Press is a department of the University of Oxford.
It furthers the University's objective of excellence in research,
scholarship, and education by publishing worldwide in

Oxford New York Auckland Cape Town Dar es Salaam
Hong Kong Karachi Kuala Lumpur Madrid Melbourne
Mexico City Nairobi New Delhi Shanghai Taipei Toronto

With offices in

Argentina Austria Brazil Chile Czech Republic France
Greece Guatemala Hungary Italy Japan South Korea
Poland Portugal Singapore Switzerland Thailand
Turkey Ukraine Vietnam

Oxford is a registered trade mark of Oxford University Press

in the UK and in certain other countries

British Library Cataloguing in Publication Data

Data available

ISBN 978 019 912908 9

10 9 8 7 6 5 4

Printed in China.

Paper used in the production of this book is a natural, recyclable
product made from wood grown in sustainable forests.
The manufacturing process conforms to the environmental
regulations of the country of origin.

Acknowledgements

The publisher would like to thank the following for permission to
reproduce photographs:

Cover Image: T-Immagini/iStockphoto; **p7**: Dale Buckton/Lonely Planet
Images; Herbert Eisengruber/Shutterstock; Associated Press; Dale Mitchell/
Shutterstock; Design Pics Inc./Alamy; Greg Elms/Lonely Planet Images;
Ray Roberts/Alamy; Oso Media/Alamy; **p9**: Kolvenbach/Alamy; Bernard van
Dierendonck/Getty Images; **p24**: Hemis/Alamy; **p33**: Hugh Threlfall/Alamy;
p44: Tim Rooke/Rex Features; **p45**: Associated Press; **p49**: Peter Forsberg/
Alamy; **p55**: Associated Press/Press Association Images; **p57**: Antti Aimo-
Koivisto/Rex Features; Marbella Fotos/Rex Features; **p63**: Carlos Alvarez/
Getty Images; Carlos Alvarez/Getty Images; **p64**: Susan MacLeod/Alamy;
John Birdsall/Press Association Images; ABACA/Press Asso;ciation Images;
p66: MBI/Alamy; **p68**: Tim Graham/Alamy; **p69**: Brian Rasic/Rex Features;
p72: Kim Kulish/Corbis UK Ltd; **p73**: Maria Green/Alamy; Jussi Nukari/Rex
Features; Charles Knight/Rex Features; Rex Features; **p75**: Mediacolor's/
Alamy; **p76**: LANDOV/Press Association Images; **p78**: George S de Blonsky/
Alamy; **p84**: Dmitriy Shironosov/Shutterstock; **p88**: Inacio Pires/Shutterstock;
p90: Shutterstock; David J Green/Alamy; Panorama Media(Beijing) Ltd/Alamy;
p95: Eye Ubiquitous/Rex Features; Robert Minnes/iStockphoto; **p95**: Jan
Stromme/Lonely Planet Images; **p97**: Steve Vidler/Imagestate RM/Photolibrary;
p101: agap / Shutterstock; Joel Blit / Shutterstock; Amy Nichole Harris /
Shutterstock; Nicolas Raymond / Shutterstock; **p112**:
Ronnie Kaufman/Corbis UK Ltd; Oxford University Press; **p116**: John Giustina/
Getty Images; **p117**: Mandy Godbehear/Shutterstock; **p118**: Igor Leonov/
Shutterstock; Monolinea/iStockphoto; Irmal Akcadogan/Shutterstock; Le Loft
1911/Shutterstock; **p120**: Leslie Banks/iStockphoto; **p126**: Copyright © 2011
Planeta; **p128**: Anita Patterson Peppers/Shuterstock; Andresr/Shutterstock;
p130: Nicholas Monu/iStockphoto; Sheryl Griffin/iStockphoto; Lise Gagne/
iStockphoto; **p131**: Kevin Russ/iStockphoto; **p139**: Hugh Threfall/Alamy; **p141**:
Eduardo Parra/FilmMagic/Getty Images; **p144**: AJM/Press Association Images;
p149: Travel Ink/Alamy; **p153**: Mincemeat/Shutterstock.

Artwork by: Mark Draisey, Stefan Chabluk, Thomson Digital.

The authors and publisher are grateful to the following for
permission to reprint extracts from copyright material:

Antonia Kerrigan Literary Agency for extract from *La sombra
del viento* by Carlos Ruiz Zafón, copyright © Carlos Ruiz Zafón,1999
DragonWorks S.L., 2004.

Serial Cut™, The Mushroom company for 'Canal + Dos' image, p.23.

Technorati Media for extract from www.elblogdemarketing.com.

The authors and publisher would like to thank the following for
their help and advice: Jackie Coe (series publisher); Charonne Prosser
(editor of the ánimo Student Book) and Jaime Veiga Perez (language
consultant).

The authors and publisher would also like to thank everyone
involved in the recordings for the *ánimo 1* recordings:
Colette Thomson and Footstep Production for sound production and
all the speakers involved.

Although we have made every effort to trace and contact copyright
holders before publication this has not been possible in all cases.
If notified, the publisher will rectify any errors or omissions at the
earliest opportunity.

Third party website addresses referred to in this publication
are provided by Oxford University Press in good faith and are
for information only and Oxford University Press disclaims any
responsibility for the material contained therein.

Spanish AS | para **AQA**

ánimo **1**

Isabel Alonso de Sudea
Vincent Everett
Maria Dolores Giménez Martínez
Maria Isabel Isern Vivancos

Welcome to *ánimo!*

The following symbols will help you to get the most out of this book:

🎧 listen to the audio CD with this activity

👤 work with a partner

👥 work in a group

Ⓓ use a dictionary for this activity

Gramática an explanation and practice of an important aspect of Spanish grammar

➡ 000 refer to this page in the grammar section at the back of the book

➡ W000 there are additional grammar practice activities on this page in the Ánimo *Grammar Workbook*

Frases clave useful expressions

Técnica practical ideas to help you learn more effectively

We hope you enjoy learning with *ánimo*.
!Buena suerta!

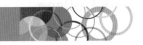

Índice de materias

0 Puente

¡BIENVENIDOS AL MUNDO HISPANO DE ÁNIMO!

1a Mira las fotos. ¿Cuántas reconoces?

1b 🔊 Escucha el comentario. ¿De qué foto hablan?

1c 🔊 Escucha otra vez y empareja las frases con las fotos.

1 la energía del futuro
2 una democracia parlamentaria y monárquica
3 la red del AVE
4 más de 400 escaleras
5 pueblo vasco de Guernica
6 acompañados por la música del bandoneón
7 un icono nacional del Perú
8 Ferrán Adriá, cocinero célebre
9 arquitectura futurística

1d Empareja los títulos con las fotos apropiadas. Sobran tres fotos.

> una catedral extraordinaria
> antiguo monumento de los Incas
> cuadro emblemático de Picasso
> un baile sensual
> museo moderno de Valencia
> un viaje a alta velocidad

1e Inventa títulos para las demás fotos.

1f Lee y empareja el texto con la foto que representa.

> La central solar de Sanlúcar la Mayor, de 115 metros de alto, se levanta como un gigantesco obelisco en pleno campo andaluz, a unos 25 kilómetros de Sevilla. Produce suficiente energía para abastecer a 60.000 hogares. 624 espejos enormes concentran los rayos del sol para calentar agua que se convierte en vapor y que al pasar por turbinas produce electricidad.

1g Escribe dos frases para las otras fotos.
Ejemplo: Foto C – El rey de España se llama Juan Carlos primero. España es una democracia parlamentaria.

1h Busca en Internet y prepara una presentación oral sobre una de las fotos a–i.

Técnica

Research skills
● Always make a careful note of your source.
● Bookmark your favourite/the most useful websites.

0 Las Españas

▶ *Varios jóvenes hablan de su Comunidad Autónoma*

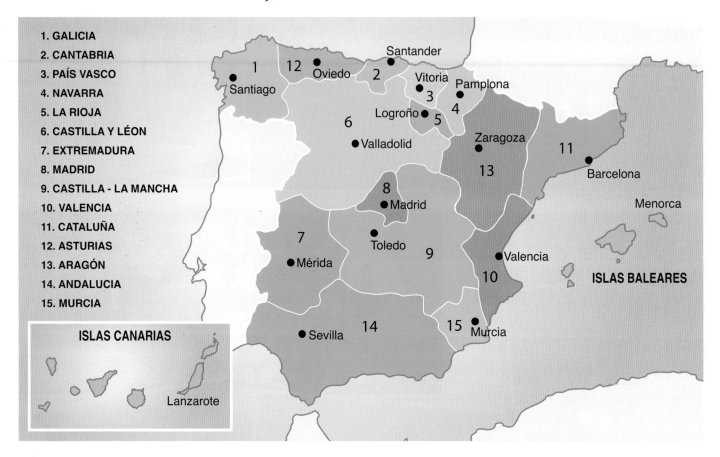

1. GALICIA
2. CANTABRIA
3. PAÍS VASCO
4. NAVARRA
5. LA RIOJA
6. CASTILLA Y LÉON
7. EXTREMADURA
8. MADRID
9. CASTILLA - LA MANCHA
10. VALENCIA
11. CATALUÑA
12. ASTURIAS
13. ARAGÓN
14. ANDALUCIA
15. MURCIA

ISLAS CANARIAS

Lanzarote

Santander

Oviedo

Santiago

Vitoria

Pamplona

Logroño

Valladolid

Zaragoza

Barcelona

Menorca

Madrid

Toledo

Valencia

ISLAS BALEARES

Mérida

Sevilla

Murcia

1a Escucha e identifica en qué Comunidad Autónoma vive cada persona. Mira la lista de Comunidades Autonómas en la página 9.

- Victoria
- Omar
- Maribel
- Jordi
- Raúl
- Silvana

1b Escucha y toma notas sobre lo que dice cada persona.

Ejemplo: *1 es bastante comercial y moderna; a mí me gusta el arte*

1c Trabajad por turnos.
La persona A hace las preguntas.
La persona B contesta como si fuera una de las personas entrevistadas.
Después cambiad de persona/papel.

- ¿Dónde vives?
- ¿Cómo es la región?
- ¿Cómo se llama la capital?
- ¿Qué sueles hacer?
- ¿Qué (no) te gusta?
- ¿Qué hay de interés allí?

2a Escucha otra vez y escribe las palabras y frases que se pueden aplicar a ti.

2b Haz un diálogo con un(a) compañero/a usando las preguntas de la actividad 1c.

Frases clave

Vivo en + un pueblo/una aldea/una ciudad/ una región

Es histórico/pintoresco/antiguo/moderno/ industrial/rural

Hay un parque/museo/polideportivo

No hay piscina/biblioteca

Algo/muy/bastante/poco

Tanto ... como/tan ... como

No sólo ... sino también ...

3 Escribe una descripción breve de tu región o barrio. Sigue los ejemplos y usa las frases clave. Busca otras palabras descriptivas.

4a Escucha y toma notas sobre tres regiones de España.

- nombre
- geografía
- productos
- otro

4b Escoge una de las Comunidades Autónomas de la lista de abajo no mencionada en 4a y escribe una descripción breve.

CCAA de España por población

1 Andalucía	**9** Castilla–La Mancha
2 Cataluña	**10** Región de Murcia
3 Comunidad de Madrid	**11** Aragón
	12 Extremadura
4 Comunidad Valenciana	**13** Principado de Asturias
5 Galicia	**14** Islas Baleares
6 Castilla y León	**15** Navarra
7 País Vasco	**16** Cantabria
8 Islas Canarias	**17** La Rioja

Ciudades autónomas

18 Ceuta	**19** Melilla

Gramática ➡ 164 ➡ W32

The formation and uses of the present tense

- The stem of some verbs changes in the first, second and third person singular and third person plural.

A Write the present tense of the following verbs.
volver (ue); jugar (ue); empezar (ie); pedir (i)

- Some verbs change their spelling to preserve the same sound as in the infinitive.

B How do these verbs change?
coger; seguir

- Some verbs have an irregular first person singular.

C Write out the first person singular of the following verbs:
decir, ir, estar, ser, poner, venir

Ser and estar

- *ser* = permanent qualities, identity, character, origin
- *estar* = position, mood, state of health

D Play a game using the map on page 8. Take turns to ask and answer questions:
¿Dónde está X? ¿Cómo es?

5a Escucha la entrevista.

5b Escoge el interrogativo adecuado y anota las preguntas.

5c Escoge la respuesta adecuada (A–H).

¿Cuál?	*¿Cuándo?*	*¿Cuánto?*	*¿Qué?*
¿Dónde?	*¿Cómo?*	*¿Quién?*	*¿Por qué?*

A Fue en Melbourne, Australia, en 2001.

B Soy de Oviedo, capital del Principado de Asturias, en el norte de España.

C Aparte de mi padre es, sin duda, Michael Schumacher.

D Nací el 29 de julio de 1981, así que soy Leo.

E Tenía unos trece años, creo.

F Porque es un progreso natural si uno es un fanático del deporte de automovilismo.

G Muy orgulloso de ser el primer español en subir al podio.

H Bueno, obtuve mi primera victoria en kárting.

Las Américas

▶ *¡Unos 400 millones de personas hablan castellano en 23 países!*

1a Escucha la grabación. ¿Qué países se mencionan?

1b Mira el mapa y juega a ¿Verdad o mentira? con un(a) compañero/a. ¡A ver si lo puedes hacer de memoria después de unos turnos!

Ejemplo: A: Bogotá es la capital de Chile.
B: Mentira – Santiago es la capital de Chile.

País	Superficie (miles de km²)	Habitantes (millones)
México	1,973	94.2
Guatemala	109	11.2
El Salvador	21	5.7
Honduras	112	5.8
Nicaragua	148	4.6

Gramática → 159 → W11

Comparatives

To compare things use:

más ... que (more ... than)

tan ... como (as ... as)

mejor = better

mayor = greater (also 'older')

menos ... que (less ... than)

tanto ... como (as much ... as)

peor = worse

menor = lesser (also 'younger')

A How do the countries compare? Use the phrases below to help you.

1 ¿Cuál es el país más grande/pequeño/largo/angosto?

2 ¿Cúal tiene más/menos habitantes?

3 Compara los países latinoamericanos con España.

Es ...	Tiene ...
(mucho) más pequeño que	(mucho) menos ... que
(casi) tan grande como	(casi) tantos ... como
más grande que	más ... que

2 Escucha a Rosa María hablar sobre su país, Costa Rica. Copia y completa las frases con el número necesario en las casillas apropiadas.

1 Costa Rica se sitúa entre ... océanos.

2 Tiene ... habitantes.

3 Es un país pequeño que mide ...

4 Un ... de los habitantes son indígenas y hablan nahua.

5 Monte Chiripó es el punto más alto a ... de altura.

6 Es un país pacífico que desde ... no tiene ejército.

Rosa María

| 1948 | 51 km² | 2 | 3819 m | 4.000.000 | 2% |

3a Lee la carta de Roberto y completa su ficha personal.

Nombre _____	Aficiones _____
Edad _____	Profesión _____
Nacionalidad _____	Idiomas _____
Familia _____	

3b Describe a Roberto.

Ejemplo: Es un chico que vive en Pisco ...

3c Escribe una carta similar con información sobre ti.

Roberto

Hola ¿qué tal?
me llamo Roberto
y vivo en Pisco,
ciudad costeña
a unos 220 km de
Lima, la capital
peruana.

Tengo 17 años
y soy el tercer
hijo de una gran
familia cariñosa.
Tengo dos hermanos
y tres
hermanas y todos ayudamos en el
restaurante de mi abuelo donde servimos
platos tradicionales. En casa hablamos
quechua, el idioma indígena pero en el
cole tenemos que hablar español. Estoy
cursando el primer año del bachillerato –
es difícil pero me encanta estudiar.

Soy bastante alto de ojos negros y pelo
liso. Me encanta la vida aquí en la costa
pacífica porque hay muchas fiestas
alegres y las montañas están cerca. Me
fascina hacer senderismo en los Andes o
salir a las islas cercanas de Ballestas en
el viejo velero de mi padre. Muchos de mis
amigos quieren viajar al extranjero pero yo
prefiero la tranquila rutina familiar.

Gramática ➡ 157 ➡ W9

Agreement of adjectives

- In Spanish, adjectives agree with the word described: *las mujeres españolas*
- Adjectives ending in a consonant add *-es* for the plural: *los platos tradicionales*
- Some adjectives shorten before masculine singular nouns: *un **buen** negocio*

Position of adjectives

- Most adjectives go after the noun they describe: *Tiene un estilo elegante.*
- Some can be placed before or after the noun: *Es un muchacho joven; es un joven muchacho.*
- Some even change their meaning depending on whether they are placed before or after the noun: *¡El pobre chico! Nació en una familia pobre.*
- A few always come before the noun; they include numbers, possessive adjectives and qualifiers.
- When there is more than one adjective:
  – If they are equally important, put them after the noun and join them with *y/e*.
  Es una persona modesta y rica.
  – If one is less closely connected to the noun, put it before it.
  Tiene un pequeño coche francés.

A Find examples of the above in the letter opposite and make up examples of your own.

B What happens to the adjectives *santo*, *grande* and *ciento*?

Write a sentence to illustrate each one.

Gramática ➡ 173

Cardinal numbers
Remember:

- The number one is *uno* in Spanish, but it changes to *un* before a masculine noun and *una* before a feminine noun: *uno, dos, tres*
  un hombre, una mesa
  veintiún hombres (note the accent),
  veintiuna mesas
- *unos, unas* = approximation
  unas cincuenta personas – about 50 people
- *Ciento* changes to *cien* before nouns and the words *mil* and *millones*.
  cien euros; cien mil habitantes
  Note that *millones* is followed by *de* before another noun: *cien millones de premios*
- From 200 onwards the hundreds have a feminine form: *doscientas personas, quinientas libras*

Gramática en acción

Recuerda ➡165

Past tenses: preterite versus perfect

- Use the preterite tense to refer to actions or events **started and completed** in the past or which took place over a defined period of time but are now completely finished.

Regular verbs in the preterite

The regular preterite tense is formed by adding:
-é, -aste, -ó, -amos, -asteis, -aron
to the stem of regular -ar verbs.
-í, -iste, -ió, -imos, -isteis, -ieron
to the stem of regular -er/-ir verbs.

- Some verbs are not really irregular but they do change their spelling to preserve the same sound as in the infinitive, for example in the first person singular: *saqué, pagué, empecé, averigüé*
  And in the third person singular and plural:
  leyó – leyeron; oyó – oyeron; cayó – cayeron; creyó – creyeron
- Use the perfect tense as you would in English to refer to something that **has recently happened** – an action which began and ended in the same period of time as the speaker or writer is describing.

The perfect tense

- The perfect tense is formed with the auxiliary verb *haber* and the past participle.
- Remember that *haber*, to have, is **only** used as an auxiliary.
- The two parts of the verb must always stay together. Never separate them with pronouns or negatives.
  Example: *Rosa María se ha levantado temprano pero todavía no se ha vestido.*

A Write down the infinitives for the verbs in the box above.

B Write down as many past participles as you can from memory.

C Look at these sentences and write down which tense is used in each one.

1 La Sagrada Familia has become an icon of Barcelona.
2 Costa Rica hasn't had an army since 1948.
3 Have you visited Machu Picchu?

4 Yes, I went last year.
5 Alonso began his career in karting.
6 I have taken lots of photos.
7 They read all about Peru before their visit.
8 I began to study Spanish only a year ago.

D Now translate the sentences into Spanish.

Recuerda ➡154

Genders

- All nouns in Spanish are either masculine or feminine.
- Knowing the gender of a noun is very important as it has a 'knock-on' effect for the whole sentence. It helps you to:
  - choose the correct determiner:

    el/la/los/las un/una/unos/unas
    del/de la al/a la
    este/esta estos/estas
    nuestro/a/vuestro/a
  - choose the correct pronoun:
    lo/la/le/los/las/les
  - make adjectives agree correctly
- Here are some typical endings for nouns:

Masculine	-o -e -l -r -u -y
Feminine	-a -ción -sión -ión
	-dad -tad -tud -dez
	-ed -ei -iz -sis -umbre

E From memory write a list of masculine and feminine words with the typical endings given above. How many can you think of in two minutes? Compare your list with your partner.

F Look through all the texts so far and find further examples; then look for exceptions and make a list and learn them.

G Why do we say *el agua fría* and *tengo mucha hambre*? Write down the rule and learn some further examples.

1 La televisión

1a Lee y contesta a las preguntas.

¿Qué papel desempeña la tele en la vida tuya?

1 ¿Cuántos televisores tienes en casa?
A uno en cada cuarto/pieza principal
B uno propio en mi cuarto/habitación
C uno sólo para toda la familia

2 ¿Usas tu ordenador para ver programas que te has perdido?
A sólo para episodios de mi telenovela favorita
B para ver las noticias que me interesan
C no lo sé usar/no tengo este sistema

3 ¿Haces las tareas del cole delante de la tele?
A cada noche para no perderme mis programas favoritos
B de vez en cuando si no es una tarea difícil
C mis padres no me lo permiten

4 ¿Cuántos canales recibes en casa?
A recibimos todos los canales, nacionales, regionales/autonómicos/de pago
B tenemos unos canales de pago para los deportes
C solo tenemos canales nacionales

5 ¿Ves la tele?
A un mínimo de 3 horas al día
B un poco todos los días
C a veces durante la semana

6 ¿Te conectas a Internet o al móvil para programas interactivos?
A siempre si hay que votar para un reality
B a veces para enviar una pregunta sobre todo de política
C no porque es una pérdida de tiempo y dinero

Puntos   A = 6   B = 4   C = 2
Suma tus puntos.

Más de 30 puntos: Eres un teleadicto que vives con la tele a todas horas y te encantan las telenovelas.

Entre 20 y 29 puntos: Ves bastante programas cuando no tienes nada que hacer pero no te importa mucho.

Menos de 20 puntos: Sabes discriminar y ves lo que te interesa nada más. ¡Estás al loro!

1b 🗣 Discute los resultados con un(a) compañero/a.

1c ¿Estás de acuerdo con la descripción? ¿Por qué si/no? ¿Cómo te describirías a ti mismo?

Frases clave

Creo que (no) soy adicto/a pero ...
Me parece que veo ...
Es importante tener en cuenta que ...

al loro *well-informed*

1 Los programas más vistos

▶ *¿Quién va de líder? La batalla por las audiencias*

DÍA A DÍA — *El prime time de la semana*

	1 TVE 1		**2 La 2**		**Antena 3**		**Cuatro**		**5 Telecinco**		**La Sexta**
sábado	07.55	Los Lunnis *infantil*	13.45	Sorteo Lotería nacional *concurso*	21.00	Noticias *informativo*	21.30	Malas pulgas *entretenemiento*	10.15	Patito feo *novela*	22.00	El partido de la sexta *fútbol*
domingo	15.00	Telediario *informativo*	07.30	UNED universidad a distancia	22.00	Doctor Mateo *nuevo*	14.50	Deportes cuatro *golf*	13.00	Vuélveme loca *magazine*	22.30	Bones *serie*
lunes	22.15	Las chicas de oro *nuevo*	20.30	Mujeres desesperadas *serie*	19.15	El diario *talkshow*	01.30	Gente Extraordinaria *documental*	22.00	C.S.I. Miami *serie*	21.30	el Intermedio *humor*
martes	22.15	Españoles en el mundo *reportaje*	23.45	Cine de madrugada *película*	01.00	El marco en directo *reality*	18.55	Dame una pista *concurso*	15.45	Sálvame *magazine*	02.15	Astro TV *horóscopo*
miércoles	20.00	Gente *magazine*	19.30	Escala 1:1 *cultural*	22.00	Física o Química *serie*	21.30	El hormiguero *humor*	02.30	Locos por ganar *concurso*	11.10	Ricos y famosos *sucesos*
jueves	14.30	Corazón *magazine*	23.30	Días de cine *estrenos*	20.15	Karlos Arguiñano *cocina*	13.55	Noticias Cuatro *informativo*	22.00	programa por determinar	23.10	Historias de hotel *reality*
viernes	17.25	Mar de amor *novela*	11.00	El planeta solitario *documental*	14.00	Los Simpsons *serie*	21.30	El campamento *reality*	04.00	En concierto *musical*	01.50	La oficina *serie*

culturales   cine   corazón   deporte   docudrama   documentales   música
dibujos animados   infantiles   realities   series   humor   telediario   política   concursos   magazines

Gramática ➡163 ➡W36

Negatives

*no nada nadie nunca/jamás ni ... ni
ninguno (ningún), ninguna tampoco*
The negative works in the following ways:

a no before the verb: **No** me gustan Los Simpsons.

b no + negative word after the verb:
   No veo la tele nunca.

c Negative word before the verb: **Nunca** veo la tele.

d Negative word on its own:
   No veo la tele. ¿Tú la ves? Yo **tampoco**.

A Escucha y anota las palabras negativas.

B Escucha otra vez y anota la forma negativa que se emplea (**a**, **b**, **c**, **d**).
Ejemplo: 1 = c, a

C Con un(a) compañero/a inventad diálogos similares y hablad sobre lo que veis y no veis en la tele. Usa los negativos de arriba.

1a Mira los tipos de programas. ¿Cuántas palabras conoces ya? Busca en un diccionario las que no conozcas.

1b Escribe una lista de programas ingleses que representen estos tipos de programas.

2 Escucha y clasifica los programas. Mira la lista de programas de arriba.

3 ¿Cuáles son los programas con más audiencia en tu país?

Busca en Internet los programas equivalentes en España.

14

4 Lee la página "Cartas al director" y contesta a las preguntas.

1 ¿Por qué critica a los canales comerciales J.C. de Cantabria?

2 ¿Los resúmenes semanales te parecen buena idea?

3 ¿Estás de acuerdo con el último texto?

4 ¿Estás de acuerdo con la crítica de J.C.? ¿Por qué?

5 Escribe un resumen semanal de lo que ha pasado en tu telenovela favorita esta última semana.

6 ¿En qué concurso televisivo te gustaría tomar parte? Da tus razones.

7 ¿Por qué o cómo te gustaría ser famoso?

Gramática ➡172

Verbs in the third person + noun

Some verbs are commonly used in the third person. The subject may be singular or plural so the verb ending changes accordingly. *Gustar, encantar, interesar, molestar* and *preocupar* often follow this pattern:

Me gusta la radio. No me gustan las noticias.

A Make up sentences using the verbs listed above in the singular and plural to say which programmes you like or dislike.

Verbs + infinitive

In the letter *Quince minutos de fama* you can see examples of verbs that are followed by an infinitive:

querer   poder   tener que
deber   soler

(*Soler*, used only in the present and imperfect tenses, indicates what usually happens.)

You don't need to use *a* or *de*. The verbs used in the third person above can also be followed by an infinitive.

B Complete the sentences:

A mi modo de ver la televisión

debe …   suele …

tiene que …   puede …

CARTAS AL DIRECTOR

No somos cifras

Nosotros, los televidentes, somos gente real, no cifras de audiencia. Sin embargo, las emisoras comerciales, cuyo número crece cada día, piensa en nosotros como números o dinero. No ponen atención a la calidad y creatividad de los programas que emiten.

J.C. / Cantabria

Del episodio diario al resumen semanal

Me parece muy acertado que ahora vayan a poner un resumen de mis telenovelas favoritas al final de cada semana. Los jóvenes, estudiantes o trabajadores, no siempre tenemos tiempo de ver las emisiones de programas cinco veces a la semana. Estoy cien por cien de acuerdo con esta decisión del canal.

F.S. / C.elec.

Selección final

Con un meticuloso proceso de selección en el que, de miles de aspirantes, se eligieron a 120 personas después de varias semanas de *castings* por toda la geografía española, se han seleccionado a doce finalistas. Eso dice la propaganda pero a mi modo de ver no es cierto. Meticuloso no es. Tampoco comparto la opinión de que este sea un programa justo para todos los concursantes.

R.V. / A Coruña

Quince minutos de fama

Todo el mundo quiere vivir sus quince minutos de fama en la pantalla, claro que sí. Eso es lo que se suele decir para convencernos de que la tele puede traernos la felicidad y la oportunidad de aparecer ante el gran público. ¡Pero también la fama nos puede cubrir de vergüenza! De modo que debemos cuidarnos de esa idea de que todos tenemos que o queremos llegar a ser famosos.

P.G. / C.elec.

Frases clave

Vale	A mi modo de ver
De acuerdo	Claro que sí
Me parece muy acertado	En cambio
Sin embargo	
No comparto tu opinión	

Tele sin límites

▶ *Programas para todos los gustos*
▶ *¡Cuántos canales y cuántos sistemas para la tele interactiva!*

1a S 🎧 Escucha y clasifica lo que oyes según sea:

- informativo
- chisme/cotilleo
- pronóstico del tiempo
- deportivo
- propaganda

1b 🎧 Anota dos datos extra sobre cada uno.

2 👥 Sondeo de audiencia. ¿Quién ve las noticias? Pregunta a tus compañeros/as.

Los informativos de TVE mantienen el liderazgo en abril

Casi 3 millones de personas convierten el Telediario 1 en el más visto* de España.

Gracias por compartir tantas noticias con nosotros.

noticias

*2.869.000 telespectadores diarios, según datos de Sofres

1 ¿Tú ves las noticias? ¿Cuántas veces al día/a la semana?

2 ¿Por qué (no) ves las noticias?

3 ¿Es importante tener canales de noticias 24 horas al día?

4 ¿Qué tipo de noticias te llaman más la atención?

5 ¿Crees todo lo que ves en el telediario?

6 ¿Qué impacto tiene en tus emociones?

7 ¿Te hace pensar más en asuntos/te influye?

8 ¿Crees que los canales muestran prejuicios políticos en sus emisiones del telediario?

3a 🎧 Escucha a estas siete personas. ¿Cómo prefieren ver sus programas favoritos?

Ejemplo: 1 *Prefiere ver el fútbol en el portátil.*

3b Escribe tres argumentos a favor y tres en contra de estos modos de ver los programas.

Técnica

Listening skills

- Read any questions in advance of listening to see if they help you work out the structure of the text you will hear or the focus of the task. Think about the kind of information the questions will require and try to anticipate relevant vocabulary.
- When listening for the first time:
  • keep track of who is speaking.
  • keep track of what question you are on.
  • listen for specific words or information you were expecting to hear.
- Invent your own system of abbreviations.
- Constantly revise whether you can make sense out of what you hear.
- If you have heard the sound of a word accurately, think carefully about how it would be spelt in Spanish. Could you be hearing several words as one?
- If you can stop and repeat your own recording, alternate between focusing on important detail, and on making broad sense of the overall section.
- If it is a short piece, listen through completely first, then go back and review the detail, section by section.

Ⓐ Think how you dealt with activity 1a above. Did you listen out for detail or general information to set the scene? Did you invent any abbreviations to help you note down the reasons in 1b?

Ⓑ Now complete activity 3a. Anticipate the vocabulary you might need for the different ways of viewing programmes and invent some abbreviations before you listen.

Quiero comprar …

Debo estudiar …

La televisión está haciendo mucho daño a mi generación.

4 Mira la caricatura. Tú, ¿qué opinas? Escribe cinco frases. Usa las frases clave en la página 15.

5 🗣 Encuesta de clase.
- ¿Cuántas horas pasas viendo la tele – cada día y por semana?
- ¿Eres adicto/a a las telenovelas?
- ¿Sigues tus programas favoritos en Internet?
- ¿Cuántos programas grabas por semana?
- ¿Has usado el teléfono para llamar a un programa?
- ¿Participas en programas interactivos por Internet?
- ¿Cuántos canales ves normalmente?
- ¿Tienes canales de pago o cable?
- ¿Qué tipo de televisor tienes?

Presenta los resultados con un gráfico y explícalos.

Frases clave

El X por ciento + *singular verb*

Cinco de cada diez personas + *plural verb*

La tercera parte/La mitad/La cuarta parte
  + *singular verb*

6 Lee el artículo y contesta a las preguntas.

1 ¿De qué sugiere el autor que podemos olvidarnos?
2 ¿Qué explicación da?
3 ¿Qué otros cambios indica?
4 ¿Por qué crees que llamaron a la tele "un aparato peligroso"?
5 ¿Tú, qué opinas?

El futuro de la tele

"Cualquier cosa a cualquier hora y en cualquier lugar; hasta en 3D y con plató múltiple " así es la tele de hoy en día.

Podemos olvidarnos de la programación tradicional – ya se está quedando atrás. Es casi obsoleta porque en todo momento podemos elegir de entre un banco digital de programas que consta de todos los programas de los últimos cincuenta años. Ahora podemos hacer nuestra propia programación a cualquier hora, día y noche. Ya vemos todo en una pantalla de plasma enorme, en el móvil o el ordenador portátil o fijo.

Más de ochenta años después de que Logie Baird inventara "un aparato tan peligroso" usando unas agujas de tejer, un poquito de cera y cuerda, la poderosa televisión – nuestra ventana al mundo – se está revolucionando. ¡Imagínate! ¿Cómo será dentro otros ochenta años?

7 "Lo mejor de la caja tonta es que nos divierte, relaja e informa después del día laboral." ¿Cómo será el futuro de la televisión? Presenta tus ideas a la clase.

Menciona
- la variedad de programas y tu opinión de cómo serán
- las diferentes formas de ver la tele hoy por hoy
- tu forma preferida de ver la tele y por qué la prefieres
- cómo crees que se desarrollará la tele.

¿Telebasura o programas educativos?

▸ *¿Hay más beneficios que peligros con todo lo que vemos en la pantalla cuadrada?*

1a Escucha las opiniones sobre los programas de telerrealidad y toma notas.

1b Lee las frases e indica si están de acuerdo o no con tus notas.

1 Dos personas dicen que les fascinan y no les importan las escenas explícitas.
2 Todos dicen que no toman los programas en serio.
3 A los jóvenes les divierten bastante.
4 La mayoría prefiere ver algo divertido a ver programas serios y deprimentes.
5 La mitad dice que les hace olvidar la realidad de sus propias vidas.
6 Solamente una persona está en contra.

1c Escucha otra vez y anota primero las opiniones negativas y luego las positivas.

1d Escribe tus opiniones sobre un programa de telerrealidad que conoces.

Explica de qué trata y da tus opiniones.

● ¿Es chocante o divertido?
● ¿Es humillante y morboso?
● ¿Es un poco picante y de humor?
● ¿Es apto para menores de edad?

Escribe unas 100 palabras aproximadamente.

2a Lee el texto "La caja tonta" y contesta a las preguntas.

1 ¿Qué crítica hace Bart de su padre?
2 ¿Qué dos cosas sabemos sobre Homer?
3 ¿A qué se refieren los porcentajes 23% y 55%?
4 ¿Qué comentario se hace sobre los niños que ven más de una hora de tele al día?
5 ¿Cómo se comparan las horas pasadas delante de la tele con las horas en el cole en España?

La caja tonta

"Es difícil no creer en la televisión; ella ha invertido más tiempo que tú en educarnos" – eso le dijo Bart, el de los Simpsons, a su vago padre Homer. Era una broma pero una broma que contenía una chispa de verdad. Igualmente, en la vida real, un 45% de los niños españoles ve la televisión, en días laborables, casi durante una hora y media; un 23% la ven 2 ó 3 horas.

Por lo menos, el padre de Bart le acompaña mientras la ve pero este no es el caso para un 2% de los niños que pasa horas a solas frente a la tele; sólo un 55% de los niños afirma que los padres los acompañan. Se cree que los niños que ven más de una hora de tele al día tendrán más tendencia a la violencia y agresividad cuando cumplan los 20 años. En España los niños pasan 930 horas al año frente al televisor y sólo 900 horas en clase delante del profesor.

2b Compara lo que dice el texto con lo que pasa en tu país.

2c Explica cuál es tu propia reacción al texto. Usa las frases clave.

Frases clave

Estoy de acuerdo al cien por cien con …
Habéis dado en el clavo a la hora de decir que …
Me parece muy acertado …
Lo peor de todo es que …
Mi opinión es que …

¿A favor o en contra?

3 Lee los argumentos y clasifícalos según estén a favor o en contra de la tele.

1 Nos entretiene.
2 Perdemos mucho tiempo sentados viéndolos.
3 Hay programas educativos muy interesantes.
4 Las telenovelas son poco realistas.
5 Algunos programas de noticias se emiten con bastante prejuicio político.
6 Hay muchas películas violentas o de terror.
7 Los dibujos animados infantiles son sosos y no tienen ningún valor.
8 Ciertos documentales llevan la naturaleza hasta dentro de la casa.

4a Lee los textos y compara las opiniones. ¿Cuál está más a favor y cuál más en contra de los medios de comunicación de hoy?

1

En la televisión, la violencia es la regla. El telediario contiene violencia real. Si a esto juntamos la violencia ficticia de las películas, es normal que la gente acabe insensibilizándose ante estas imágenes. En una semana dada una persona puede ver 770 asesinatos, 47 torturas, 28 secuestros, 17 suicidios, 1.200 peleas y una multitud de disparos.

Se dice que la televisión y ciertos anuncios fomentan la violencia, la explotación sexual y la perversión. A mi modo de ver este tipo de violencia siempre ha existido. No es más que el reflejo de la sociedad en que vivimos. Pero es muy difícil reconocer ésto y, sin embargo, es más fácil echarle la culpa a un objeto inanimado, ya sea la caja tonta, el ordenador, el móvil o una revista pornográfica.

Si aceptamos que la violencia forma parte de la sociedad, hay que buscar la razón de su existencia – en familias disfuncionales; en el aburrimiento que produce un sistema educativo que mata la creatividad o que insiste en el aprendizaje de memoria; en una sociedad que no ofrece modelos responsables ni estables a la gente vulnerable.

No obstante es la falta de responsabilidad y supervisión de los padres lo que es más significativo en el caso de los niños. Ante todo tenemos que educar a la gente y desarrollar su capacidad crítica. Es cierto que quien tiene el mando tiene el poder.

4b Habla con un(a) compañero/a luego anota los argumentos a favor y en contra de los medios de comunicación de hoy.

4c Contesta a las preguntas.
1 ¿Cuál es el problema según el primer texto?
2 ¿Cómo lo refuta el segundo texto?
3 ¿Según el primer texto qué no queremos reconocer?
4 ¿Según el segundo texto por qué somos contradictorios?
5 En tu opinión, ¿la televisión tiene un papel positivo en la vida de hoy?

2

No acepto el término "telebasura". Existen programas mejor o peor hechos que gustan más o menos a la gente. Mi opinión es que es un debate artificial que exponen los que le tienen miedo a la libertad de expresión.

Somos contradictorios porque criticamos a los medios de comunicación pero al mismo tiempo exigimos cada vez más imágenes sensacionalistas. ¿Por qué tuvo un éxito instantáneo Gran Hermano? Porque acertó con un formato sencillo y barato – nosotros, el público, viéndolo todo, 24 horas al día gracias a las cámaras.

¿Sin embargo cuántos ejemplos positivos de la actuación de los medios de comunicación se le ocurren a uno al instante? La educación a distancia, sea por radio, televisión o Internet, es algo que ha ayudado a millones de personas globalmente.

Los medios de comunicación son reflejo de la realidad social en la que vivimos. Los medios son imprescindibles y necesarios; nos instruyen y educan; nos informan y hasta previenen cosas malas; pero debemos aprender a usarlos para el beneficio del género humano, y no al contrario.

En fin, no matemos al mensajero que también puede traer mensajes positivos.

Técnica

Synonyms and antonyms
Knowing two ways of saying the same thing or writing answers using your own words are both important when answering exam questions. Collect words of similar and opposite meanings to extend your vocabulary lists.

A Reread the texts above and find synonyms for the following:
1 la agresión
2 el espejo
3 sin vida
4 encontrar
5 sin embargo

B Now find antonyms for the following:
1 disgustan
2 la opresión
3 rechazamos
4 fracaso
5 complicado

Gramática en acción

➡163

Recuerda

Negatives

Remember these points when using common negatives:

- *Ninguno* shortens to *ningún* before a masculine singular noun:

  No hay ningún programa de música en la tele esta noche.

- *Ninguno/a* agrees with the noun it describes:

  Tampoco hay ninguna telenovela, ningún concurso ni ninguna retransmisión deportiva.

- No other negatives agree with their noun.

- You can use two or more negative words in the same sentence (see the examples above).

- *Nadie, nada* and *ninguno* can be used with *que* and an infinitive or a verb in the subjunctive:

  No hay nada que ver en la tele esta noche.

  Los concursos no presentan a nadie que me interese.

  No seleccionan a ningún finalista que valga la pena.

A Copy and complete the sentences with appropriate negatives.

1 No ponen ...... telenovela .... concurso esta noche.
2 No me gusta ...... programa de ese canal.
3 No he visto ...... el programa que mencionaste.
4 ...... lo he visto yo.
5 A ...... le gusta aquella emisora.
6 No veo .... me gusta aquí en la revista.

---

nadie   nunca   ninguna   nada   ningún
tampoco   ningún   que   ni

B Translate sentences 1–4 into English and 5–8 into Spanish.

1 Ni siquiera me interesan los deportes.
2 ¿Nadie ha visto el mando? Nadie.
3 Nunca ponen nada que me entusiasme.
4 Ningún debate político me interesa en las noticias.
5 Nothing has changed then!
6 You never liked the news, did you?
7 You didn't even put it on.
8 Neither the news nor documentaries!

➡166

Recuerda

The preterite tense: radical changing verbs

So far you have revised how to form and use regular *-ar -er* and *-ir* verbs in the preterite tense (see page 12).

- Some *-ir* verbs change their stem in the third person singular and plural only:

  e ➙ i: pedir – pidió, pidieron (also *advertir, conseguir, corregir, divertir(se), elegir, mentir, preferir, reírse, repetir, seguir, sentir(se), vestir(se)*)

  o ➙ u: morir – murió, murieron (also *dormir*)

The preterite tense: irregular verbs

- Remember that these verbs don't have an accent.

  Look at this example, with *decir* (to say):

  dije dijiste dijo dijimos dijisteis dijeron

- A group of verbs have unusual stems and the spoken stress falls on the penultimate syllable. They are called the 'strong preterite' or *pretérito grave*.

  Their endings follow this pattern, shown with *poner* (to put):

  puse pusiste puso pusimos pusisteis pusieron

C Put these sentences into the third person singular/plural.

1 Sentí que el programa era violento.
2 Pedimos la revista de la programación.
3 Seguí viendo la película aunque no me gustaba.
4 Reñimos porque queríamos ver programas diferentes.
5 Preferí lo que vimos ayer.

D What infinitive have these preterite forms come from?

di	dije	estuve	fui	fui	hice	
pude	puse	quise	supe	traje	tuve	vi

E Translate these sentences into Spanish.

1 She said that she liked "soaps".
2 They put the sports channel on all night.
3 The others couldn't watch what they wanted.
4 Big Brother was a very popular programme.
5 We gave our parents a new plasma TV for Christmas.
6 They were delighted!

Vocabulario

Los programas más vistos	pages 14–15
el canal	TV channel
la cifra	number
el concurso	game show
los dibujos animados	cartoons
la emisión	programme
la emisora	channel
las noticias	news
la pantalla	screen
el televidente	viewer
el tiempo	weather
la vergüenza	shame
desempeñar (un papel)	to play a role/part
emitir	to transmit
estar cien por cien	to be 100%
estar de acuerdo	to agree
en cambio	on the other hand
en directo	live
sin embargo	nevertheless

Tele sin límites	pages 16–17
el banco digital	digital downloads
el canal de pago	pay per view channel
el canal interactivo	interactive channel
el chisme/cotilleo	tittle-tattle
el liderazgo	leader/way out front
el plató	platform
el portátil	laptop
el prejuicio	prejudice
bajar un programa	to download
dar la gana	to want to do something
encerrarse	to shut oneself away
grabar	to record
quedarse atrás	to get left behind
repasar	to rewind/go over again
seleccionar	to select
transmitir/emitir	to broadcast
cualquier	any (adj)
miope	short sighted
peligroso	dangerous
lo demás	the rest of

¿Telebasura o programas educativos?	pages 18–19
la basura	rubbish
la broma	joke
la chispa	spark
el equilibrio	balance
el mando	TV control
la pelea	fight
el prejuicio	prejudice
un reflejo	image/reflection
el secuestro	hijack/hostage
días laborables	work days
desarrollar	to develop
matar al mensajero	to kill/shoot the messenger
chocante	shocking
morboso	gruesome
picante	risqué
vago	lazy
a mi modo de ver	in my opinion
no obstante	however
por lo menos	at least

Rellena los espacios en las frases siguientes con la forma adecuada del verbo o de la palabra entre paréntesis.

1 Me encanta cuando _____ una serie o telenovela vieja. (repetir)

2 Los documentales de la naturaleza de la BBC son los _____ del mundo. (mejor)

3 Me parece que todo el mundo, sobre todo los jóvenes _____ vivir sus quince minutos de fama en la pantalla. (querer)

4 Mis abuelos _____ ver la noticias a las diez en punto a diario. (soler)

5 El éxito del programa _____ Hermano se debe a un formato tanto sencillo como barato. (grande)

Extra

www.telecinco.es/hospitalcentral

telecinco ⊗

Hospital Central

Rodolfo Vilches (Jordi Rebellón)

Tan temido como querido, el doctor Rodolfo Vilches vuelve a cruzar <u>el muelle</u> del Central tras dos años escondido en un programa de protección de testigos. Con más fuerza que nunca y <u>esgrimiendo</u> su habitual carácter grosero, el médico se hace con <u>las riendas</u> de su vida y del hospital.

Raúl Lara (Iván Sánchez)

Raúl, el médico del <u>SAMUR</u>, es un joven atractivo que se plantea la vida como una sucesión de buenos momentos que hay que explotar, a veces sin pensar en las consecuencias. Esta actitud le ha <u>acarreado</u> ciertos problemas sentimentales con algunas de sus compañeras de trabajo. Después de una breve relación con Esther se ha convertido en el padre de sus hijos.

Sandra (Montse Germán)

Sandra es una mujer con la que Vilches ha mantenido una relación sentimental durante su etapa como testigo protegido. Su llegada al Central estará cargada de sorpresas, ya que Sandra fue el amor de juventud de Fernando, una circunstancia que no será del agrado de Vilches y que creará más de un enfrentamiento.

Teresa (Marisol Rolandi)

La recepcionista del Central. Por su posición privilegiada, conoce todo lo que sucede en su interior. Aunque algo <u>cotilla</u>, es muy querida por todos sus compañeros. Es íntima de Maca y Esther, ya que incluso fue madrina en su boda. Ahora, Alicia, la sobrina de Ágata, se ha convertido en su compañera de cotilleos. Sin embargo, la vida personal de Teresa ha cambiado a lo largo de las temporadas en el hospital, tuvo algunos problemas con su marido e incluso llegó a separarse aunque finalmente decidieron volver a vivir juntos.

1 Lee el extracto de la página web de 'Hospital Central', una telenovela muy bien conocida en España. Busca las palabras en el texto que significan:

1 as much … as …
2 because
3 more than (number)
4 become
5 rather
6 even
7 throughout
8 to do something again

2 Lee otra vez y busca un ejemplo de:

1 Una coincidencia poco probable.
2 Un actor que ha vuelto a la serie después de un periódo de ausencia.
3 Una telaraña de relaciones complicadas.
4 Inestabilidad, con una serie de cambios dramáticos en la vida.
5 Una obsesión con la vida sentimental y el escándalo.
6 Un personaje que existe solamente para crear conflicto.
7 Personajes estereotípicos, de diferentes ámbitos profesionales.

3 🎧 Escucha la descripción de Esther. ¿Cuáles de los puntos 1–7 se reflejan en su personaje?

4a 👥 Explica cuál es tu opinión sobre las telenovelas, utilizando ejemplos de Hospital Central.

Técnica

Dealing with unfamiliar words

- Is it a key word, whose meaning will unlock the sentence?
- Can you use the context to work out the meaning?
- Is the word being used in a metaphorical expression that makes it hard to understand?
- Is it a cultural term that requires more knowledge than just the meaning of the word?

Ⓐ Read the sentences containing underlined words. Decide in each case which of the above categories it fits into.

4b Escribe 150 palabras para resumir las diferentes opiniones sobre las telenovelas.

2 Anuncios y publicidad

MOGOLLÓN DE ANUNCIOS

Vacaciones en invierno

Pueden …

… escoger los mejores destinos

… viajar fuera de temporada

… pagar menos

… disfrutar de una inolvidable escapada

… ir a esquiar o gozar de un centro de ocio …

Serial Cut™, The Mushroom Company

1a Analiza los anuncios y contesta a las preguntas para cada anuncio.

   1 ¿De qué trata?

   2 ¿A quién se dirige?

   3 ¿Lo encuentras interesante?

   4 ¿Tiene un mensaje? ¿Es importante?

   5 ¿Cuáles son las palabras clave del eslogan?

   6 ¿Cuál es su propósito o meta?

1b Busca otros anuncios recientes en revistas españolas o en Internet y discútelos con un compañero/a. Usa las preguntas de 1a.

2 Estilos diversos

▸ *¿Cómo cautivar al consumidor? ¿Qué trucos se usan?*

1a 🎧 Escucha y clasifica los anuncios.
- pasatiempo/deporte • cosméticos • comida
- ropa • hogar

1b 🎧 Escucha otra vez. ¿Tú qué opinas?
- ¿Cuál tiene más impacto? ¿Por qué?
- Identifica las palabras usadas en la casilla de abajo.
- ¿Qué palabras son más significativas? ¿Por qué?
- ¿De cuál de los anuncios te acuerdas mejor? ¿Por qué?

> **fantástico increíble**
> **¡de infarto! original super**
> **guay ¡última hora! sorpresa**
> **mejor del mundo**
> **imprescindibles**
> **fenomenal regalazo vaya**
> **genial mogollón de flipante**

2 Describe uno de tus productos favoritos, por ejemplo, un chocolate.

Menciona:
- Los colores del embalaje.
- El tipo de letra usada.
- Cuántas y qué palabras tiene el embalaje.
- Por qué te llama la atención.
- Con qué asocias el producto: por ejemplo tu infancia, la comida, divertirse.
- El tipo de publicidad utilizado: por ejemplo, imágenes, música, diálogo, caracteres, ideas ingeniosas.
- Las tácticas usadas en el mercadeo.

   Por ejemplo: Compra dos paga menos/ofertas especiales/regalos extra.
- Si tiene una página web.

3 🎧 Escucha a los jóvenes analizar unos anuncios. Anota el producto o anuncio y el comentario que hace cada uno.

Técnica

Different registers of language (1)

We all use different kinds of language depending on:
- the effect we want to have.
- the subject we have chosen.
- whether we are speaking or writing.
- the situation – informal or formal.

A Make a list of some recent adverts you have watched, heard, read or seen.

Use the questions in 1a on page 24 to answer in Spanish.

How did they attract your attention?

What kind of language did they use?

How would you describe them?

> serio emotivo formal
> divertido dramático sensacional
> objetivo frívolo picante
> obsceno político analítico

👤 Discuss your answers for B and C with a partner, in Spanish.

B Is there any difference between the way adverts are presented on radio, on television, in magazines or on hoardings?

Los anuncios en la tele tienen/son/apelan a/... mientras la publicidad en la radio ... pero en las revistas o vallas de publicidad ...

C Which kind of advert appeals to you most? Describe it in Spanish. Use the questions in Exercise on 1 page 24 and Exercise 1b on page 26 to help you.

4 Lee y empareja la técnica (1–12) con una razón adecuada (a–l).

LOS REQUISITOS PARA HACER ANUNCIOS EFICACES

Técnica	Razón
1 Resume y evalua la marca	a se clava en la memoria/mente
2 Es corto y breve	b adverbios que indican que la empresa se compromete
3 Rima	c da énfasis
4 Repite el nombre de la marca	d el consumidor memoriza la marca
5 Aliteración – sonsonete	e ayuda a memorizar
6 Uso de pronombres personales (tú vosotros nosotros)	f aclara el propósito de la marca
7 Uso de palabras *siempre/cada*	g impresiona al consumidor con su novedad y agudeza
8 Verbos en tiempo presente	h entretiene al consumidor para que se sienta a favor del producto
9 Uso del imperativo	i adopta un tono firme para guiar al consumidor
10 Uso de mayúsculas	j demuestra que se preocupa del consumidor y le habla personalmente
11 Humor	k da sensación de lo eterno y universal
12 Juego de palabras	l sencillo y claro

5 Analiza el anuncio de abajo según los criterios 1–12.

¡Colores vivos!

Gramática 173 W6

Suffixes

Suffixes are widely used in spoken Spanish. They are added to the end of nouns and sometimes to adjectives and adverbs to give a particular emphasis. There are several different types:

* **diminutives:** = little
  -ito/ita/itos/itas; illo/illa/illos/illas
  (dear, sweet, pretty, cute)
  Examples: *Isabelita, Andresito, una mesilla de noche; pequeñito; bajita, viejecita.*

  ín/ina/ines/inas = no real sentiment attached – simply indicates small size
  Examples: *pequeñín, maletín*

* **augmentatives:** = large/big
  ón/ona – ones/onas
  azo/aza/azos/azas
  ote/ota/otes/otas
  (big, great, too big, clumsy)
  Examples: *un portón, una mujerona, un golazo*

* **pejoratives:** = worst, horrible, unkind
  ucho/ucha/uchos/uchas
  uzo/uza/uzos/uzas
  uco/uca/ucos/ucas
  (z)uelo/uela/uelos/uelas
  (expresses scorn or contempt)
  Examples: *feucho; casuca; gentuza; riachuelo*

* Some suffixed words are now words in their own right:
  bolso → *bolsillo, palabra* → *palabrota, silla* → *sillón*

A Translate the examples above into English.

B Look up these words and find the diminutive, augmentative and pejorative forms.

1 casa 3 maleta 5 papel
2 chico 4 ojos

C Listen and note down the suffixes used. How effective do you think they are in the advert? Do they convey a hidden message?

6 Trabajad en grupos o parejas para diseñar una campaña publicitaria.

Escoged un tema o producto.

Decidid a quién se dirige y dónde vais a colocarla (en una revista, valla, televisión, etc.)

Inventad un eslogan, por ejemplo: "Abróchate el cinturón; abróchate a la vida."

Considera:

* los colores y el estilo de letra que vas a usar
* las imágenes * las palabras.

Los pros y los contras

▸ *¿Los beneficios sobrepasan los inconvenientes?*
¿Cómo refrenar y controlar los excesos?

1a Mira la publicidad.

- ¿De qué trata?
- ¿Cuáles son los puntos de información más importantes?
- ¿Es efectiva en persuadir?
- ¿Qué opinas de este tipo de anuncios?

1b Completa las frases en español según las recomendaciones de la publicidad.

1 El anuncio recomienda que …
2 Aconseja que …
3 Quiere que …
4 Insiste que …

2 Escucha la discusión y decide quién ha dicho cada afirmación de abajo, el profesor, Jorge, Roberto, Ana o Marta.

1 Las ventajas de la publicidad sobrepasan las desventajas.
2 Se gasta demasiado dinero en la propaganda y no en el producto.
3 A veces dicen mentiras.
4 Son artísticos y nos entretienen.
5 Dan información crítica sobre la salud.
6 Vivimos en un mercado de consumo saturado de bienes.
7 Es importante poder comparar los diferentes productos.

8 Seguimos canturreando la melodía y el mensaje todo el día.
9 Anima a la gente a comprar productos por encima de sus posibilidades.
10 Una nueva empresa puede hacerse conocer al público.
11 Las grandes empresas pueden producir propagandas lujosas.
12 Los anuncios dirigidos a los niños tienen una influencia maligna.

3a Lee los puntos de vista y decide si mencionan un aspecto positivo o un aspecto negativo de la publicidad.

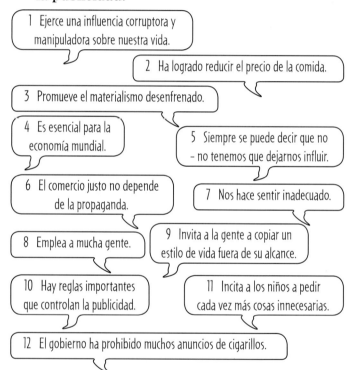

1 Ejerce una influencia corruptora y manipuladora sobre nuestra vida.
2 Ha logrado reducir el precio de la comida.
3 Promueve el materialismo desenfrenado.
4 Es esencial para la economía mundial.
5 Siempre se puede decir que no – no tenemos que dejarnos influir.
6 El comercio justo no depende de la propaganda.
7 Nos hace sentir inadecuado.
8 Emplea a mucha gente.
9 Invita a la gente a copiar un estilo de vida fuera de su alcance.
10 Hay reglas importantes que controlan la publicidad.
11 Incita a los niños a pedir cada vez más cosas innecesarias.
12 El gobierno ha prohibido muchos anuncios de cigarillos.

3b En tu opinión ¿cuál es la afirmación más positiva y cuál la más negativa de la lista? Añade más ideas tuyas.

4a Discute con un(a) compañero/a.

¿La campaña contra los cigarillos ha tenido éxito? ¿En tu opinión fue necesaria o impacta sobre nuestro libre albedrío/nuestros derechos humanos para escoger la vida que queramos?

¿El gobierno debería legislar contra la comida rápida por las mismas razones, porque perjudica a nuestra salud?

4b Escribe tres razones a favor y tres en contra de tales campañas publicitarias.

¿Qué impacto tienen las campañas publicitarias?

Hoy, nadie puede negar que las campañas publicitarias influyen en nuestros hábitos de una forma u otra. Por ejemplo, las campañas que tienen que ver con la salud o que nos informan de los riesgos y peligros de conducir cuando sobrepasamos los límites de alcohol o que aconsejan a los jóvenes decir "no" al tabaco o a las drogas, influyen decididamente en nuestra manera de pensar.

Otras campañas publicitarias, como las de Navidad por ejemplo, nos bombardean con anuncios para que nos pongamos esta o aquella marca de ropa, bebamos tal o cual licor o nos comamos tantos dulces que al final nos dañan los dientes o nos hacen ganar peso. Al final, nos incitan de tal manera que acabamos comprando lo que no necesitamos o lo que no nos conviene. ¡Y ya no hablemos de los anuncios provocativos o de los que son abiertamente obscenos!

Ante todo esto, nos preguntamos: ¿ha llegado el momento de introducir más censura? Y, si en efecto se introduce ¿cómo será tal censura? ¿hacia quién irá dirigida? ¿quién la impondrá? Son preguntas difíciles de contestar.

Acuérdense de que la censura ya existió en España antes de 1966 y que, a pesar de que la Ley de Prensa que entró en vigor en abril de ese mismo año, abrió el camino a una actitud un poco más liberal, siguió vetándose mucha de la información política.

O ¿quién no se acuerda del "destape", que en 1977 trajo a España la desnudez en toda su gloria, belleza y pornografía? No hay más que echar un vistazo a los quioscos de hoy en día para darse cuenta de la cantidad de revistas con anuncios salaces y casi pornográficos que nos rodean.

Empero, ¿cuál es la meta real de tales anuncios? ¿es simplemente persuadirnos a que compremos algo? ¿incitarnos a creer que necesitamos algo aun cuando no lo necesitamos? o ¿quieren darnos a conocer algo que es imprescindible para nuestra vida en común?

Sea como fuere, lo más interesante es la manera en que alcanzan su objetivo. Eligen imágenes seductoras que nos halagan, imágenes escalofriantes que nos chocan o imágenes imposibles y cómicas que nos hacen reir o nos llaman la atención. ¡Y pobre de tí! una vez que captan tu atención, habrás caido como una mosca en una telaraña.

5a Lee el reportaje y busca la siguiente información.

1 Dos ejemplos de publicidad que tienen un efecto positivo para el público.
2 Dos ejemplos de publicidad que son dañinos sobre todo para los niños.
3 El impacto que tiene la censura según el autor del reportaje.
4 Las fechas importantes para España
5 Las metas de dicha publicidad
6 El medio de alcanzarlas

5b Busca en el texto palabras o frases que signifiquen:

1 one way or another
2 go beyond the limits
3 the way we think
4 ruin our teeth
5 we end up buying
6 besides
7 in the same year
8 opened up the way
9 you only have to …
10 even so

6 ¿Es práctica la censura de la publicidad? Discute en clase.

● Da tres ejemplos de cuando crees que el control de la publicidad es beneficioso e importante.
● Da tres ejemplos de cuando crees que no es necesario refrenarla y hasta invade nuestra libertad de escoger.

Gramática en acción

Recuerda ➡169

El subjuntivo
The formation of the subjunctive

- To form the present tense of the subjunctive add the following endings to the stem of the verb:

  -ar: -e -es -e -emos -éis -en:

  hable hables hable hablemos habléis hablen

  -er/-ir: -a -as -a -amos -áis -an:

  coma comas coma comamos comáis coman

  suba subas suba subamos subáis suban

- Verbs that change their spelling keep this pattern throughout:

  coger → cojo = coja cojas coja cojamos cojáis cojan

- Radical-changing verbs follow their usual pattern:

  jugar → juego = juegue juegues juegue juguemos juguéis jueguen

- Verbs like tener (tengo), hacer (hago) and conducir (conduzco) which have an irregular first person singular keep the irregular stem for all persons in the subjunctive:

  tenga tengas tenga tengamos tengáis tengan

- The following verbs have irregular stems:

  ir: vaya   dar: dé   estar: esté
  ser: sea   saber: sepa   haber: haya

Uses of the subjunctive

Remember that you use the subjunctive with verbs of wanting, requesting and advising. For more information, see page 24.

A What happens to the endings of -ar verbs when they become subjunctive? Similarly what endings do -er and -ir verbs have in the subjunctive?

B Write out in full the present subjunctive of the verbs *cruzar* and *pagar*.

C Write out in full the present subjunctive of the verbs *dormir* and *preferir*.

D Write out in full the present subjunctive of the verbs *decir* and *poner*.

E Make learning cards for the six irregular verbs. Put Spanish on one side and English on the other. Keep testing your partner until you both know them by heart.

F Read these sentences and indicate which verbs are in the subjunctive. Then translate them into English.

1 Quiero que me compres esas zapatillas del anuncio.
2 Insisto que veas este nuevo anuncio de perfumes.
3 Esperamos que la nueva propaganda sea más divertida.
4 Me aconseja que lea el detalle del anuncio.
5 ¡No quiero que sigas canturreando ese anuncio tan soso todo el día!
6 La nueva campaña publicitaria contra los cigarrillos necesita que el gobierno la respalde.
7 Nos pide a todos que dejemos de fumar en lugares públicos.
8 Mis padres no permiten que mi hermano fume en casa.
9 Pero no pueden impedir que lo hagamos afuera.
10 Deja que oiga el nuevo anuncio.

G Translate these sentences into Spanish.

1 Adverts usually want us to buy something.
2 Adverts about health problems hope we will follow their advice.
3 The government can insist that an advert be withdrawn.
4 Some people want adverts to give information only.
5 Others prefer adverts to seduce them and create a fantasy world.
6 The government must require all adverts to be a good influence on children.

Vocabulario

Persuasores y persuadidos	pages 24–25
los bienes	goods
la cifra	number
el freno	break/restraint
la inversión	investment
una marca	make
un mensaje	message
la meta	aim/goal
el poder	power
el propósito	purpose
disfrutar	to enjoy
entretenerse	to entertain
probar (ue)	to try
relajar	to relax
tratar de	to be about
clave	key (adj)
encubierto/a	hidden/subliminal
soso/a	silly/dull
único/a	unique
antiedad	anti-ageing
mogollón	lots/heaps

Estilos diversos	pages 26–27
el consumidor	consumer
el embalaje	wrapping
el mercadeo	marketing
el truco	trick
una valla de publicidad	hoarding/billboard
aclarar	to make clear
apelar a	to appeal to
caer en la trampa	to fall into the trap
darse el lujo de	to afford
demostrar (ue)	to demonstrate
destacarse	to stand out
estrenar	to show/use for the first time
lucir	to shine/show off
fenomenal	great/phenomenal
flipante	ace/crazy
genial	wonderful/genius
imprescindible	essential
ingenioso/a	ingenious/clever
ingenuo/a	naïve/gullible
¡de infarto!	'wicked' (heart attack material)

Los pros y los contras	pages 28–29
un cenicero	ashtray
el destape	taking the lid off/exposing
la desventaja	disadvantage/drawback
la mentira	lie
la ventaja	advantage
aconsejar	to advise
canturrear	to hum/sing
hacer daño	to harm
lograr	to manage/to achieve
molestar	to annoy
no dejar de	not to let up/leave off
padecer de	to suffer from
sobrepasar	to outweigh
capaz	capable
dañino/a	harmful
desenfrenado/a	uncontrollable
innecesario/a	unnecessary
lujoso/a	luxurious
maligno/a	evil/wicked/malign
fuera de su alcance	beyond their means

Rellena los espacios en las frases siguientes con la forma adecuada del verbo o de la palabra entre paréntesis.

1 Quiero que me _____ esos vaqueros nuevos. (comprar)

2 Ayer fui con mi madre al nuevo centro comercial donde _____ compras para toda la familia. (hacer)

3 La semana pasada _____ una publicidad ingeniosa en la valla a la entrada de la ciudad. (ver)

4 Afortunadamente no me dejo persuadir por las cremas _____ que acaban de sacar. (antiedad)

5 Los últimos anuncios para el iPod son _____. (fenomenal)

Tecnología: los hechos

▶ *¿Qué piensas de la tecnología moderna?*

1 Lee y relaciona las descripciones con las imágenes de los aparatos.

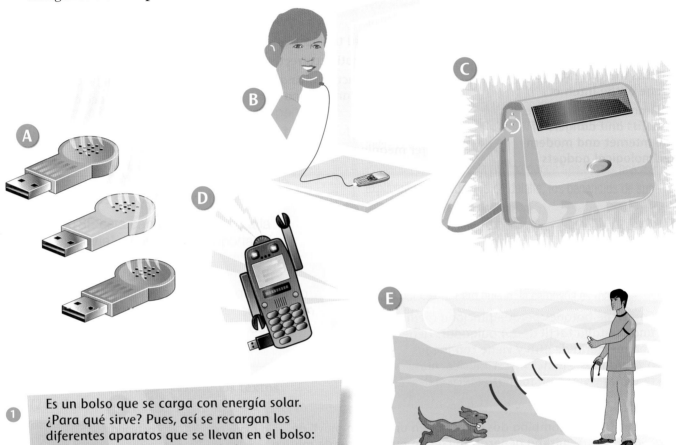

1 Es un bolso que se carga con energía solar. ¿Para qué sirve? Pues, así se recargan los diferentes aparatos que se llevan en el bolso: MP3, teléfono, PDA, cámara de fotos …

2 Cuando se conecta al portátil, emite fragancias suaves. Se puede escoger entre rosa, lavanda o jazmín.

3 Es un mando a distancia para perros. Con él, se emiten señales independientes para la oreja izquierda o derecha del perro. Así se controla su movimiento hacia delante o hacia los lados.

4 Se enchufa al móvil. Es un auricular tradicional para los que prefieren el estilo de los años 70. También permite evitar la radiación que se emite al hacer una llamada.

5 Parece un monstruo, pero es un teléfono. Con este aparato se hacen llamadas a través de Internet. Cuando suena el teléfono, sus manos se agitan, y cuando habla el interlocutor, su boca se mueve en sincronización con las palabras.

2 Escucha. ¿De qué aparato hablan? ¿Qué opinan?

Gramática ➡ 171 ➡ W62

Using *se* to avoid the passive voice

- You can use the passive voice in Spanish, but it is more common to avoid it by using *se*.
  El aparato se conecta al ordenador.
  'The gadget connects itself to the computer.'
  The gadget is connected to the computer.

A Find all the sentences with *se* on this page. Translate them as in the example above, giving the literal meaning and then a better translation.

3 Lee el texto y completa las siguientes frases. Escribe con tus propias palabras.

Ejemplo: La gran mayoría de los jóvenes influyen en la decisión a la hora de comprar aparatos tecnológicos en sus casas.

1 La gran mayoría de los jóvenes …

2 El 62% de los jóvenes …

3 Las chicas …

4 Los chicos …

5 El "chat" …

6 Las compras en Internet …

7 Las llamadas telefónicas …

Sondeo sobre los jóvenes españoles

Casi el 90% de los jóvenes españoles contribuye a las decisiones de compra de tecnología en su casa.

Un 35% de los jóvenes navega por Internet varias veces al día, y otro 27% lo hace por lo menos una vez cada día.

Para un 60% la diversión es lo más importante. Internet es importante para los estudios, pero no tanto como para comunicarse, escuchar música o para jugar. El 42% de las chicas valora Internet para los estudios, comparado con tan sólo el 28% de los chicos.

Entre los usuarios de Internet, el 49% utiliza el correo electrónico varias veces al día. Las chicas lo utilizan más que los chicos.

El 57% de los jóvenes descarga música a su MP3 casi cada día. Es más común entre los chicos que las chicas.

Internet es una manera de ponerse en contacto con los amigos y de conocer a gente del mundo entero. Alrededor del 80% de los jóvenes ha utilizado Internet para comunicarse por un "chat".

Un 63% afirma que en los últimos seis meses no ha hecho compras por Internet. Citan la falta de seguridad como motivo. Lo que más se compra son ficheros de MP3.

El 89% tiene teléfono móvil y el uso de los mensajes es superior al de las llamadas.

Gramática ➡170 ➡W53

The subjunctive for value judgements and emotions

- On page 24 you saw how to form the subjunctive and how to use it for wanting people to do something.
- It is also used when giving value judgments or expressing emotions.

It is important that you buy a new phone.
*Es importante que **compres** un teléfono nuevo.*
It is ridiculous that you spend so much time on the internet.
*Es ridículo que **pases** tanto tiempo en Internet.*
I love it that you get my messages.
*Me encanta que **recibas** mis mensajes.*

Ⓐ Make your own sentences then translate them into English.

1 No me importa que	**a** los jóvenes naveguen por Internet en el trabajo.
2 Me fascina que	**b** los chicos no quieran estudiar.
3 Es escandaloso que	**c** puedas ver vídeos en el ordenador.
4 Me sorprende que	**d** no tengas móvil.

4 Da tu opinión sobre los resultados del sondeo sobre los jóvenes. Necesitarás cambiar el verbo al subjuntivo. Utiliza las frases clave.

*Ejemplo: **Me choca que** los jóvenes **contribuyan** en las decisiones de compra de tecnología.*

Frases clave

Me choca que …	Me preocupa que …
¡Qué bien que …!	Me sorprende que …
Es muy normal que …	Es una lástima que …

5 Lee y decide si estás de acuerdo. Da tu propia opinión.

1 Lo más interesante de los reproductores MP3 es que las chicas escuchen la música en la calle mucho más que los chicos.

2 Es preocupante que puedas dañarte el oído si escuchas música demasiado alta.

3 Es una lástima que las tiendas de discos tengan que cerrar.

4 Es inevitable que los CDs desaparezcan.

5 ¡Qué bien que la música se comparta en lugar de venderse!

La blogosfera

▶ *¿Quién eres en el mundo virtual?*

1 Relaciona las palabras con las definiciones.

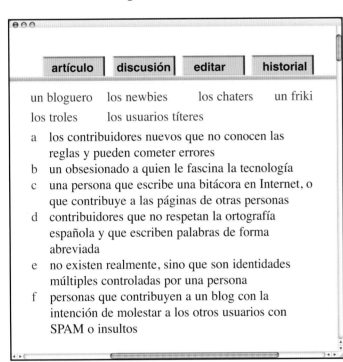

| artículo | discusión | editar | historial |

un bloguero   los newbies   los chaters   un friki
los troles   los usuarios títeres

a   los contribuidores nuevos que no conocen las reglas y pueden cometer errores
b   un obsesionado a quien le fascina la tecnología
c   una persona que escribe una bitácora en Internet, o que contribuye a las páginas de otras personas
d   contribuidores que no respetan la ortografía española y que escriben palabras de forma abreviada
e   no existen realmente, sino que son identidades múltiples controladas por una persona
f   personas que contribuyen a un blog con la intención de molestar a los otros usuarios con SPAM o insultos

2 Escucha y verifica.

Gramática ➡170 ➡W60

Imperatives

- For *tú* and *vosotros*:
For positive commands, use these endings:
Levanta la mano. Abre tu cuaderno.
Entrad en la clase. Repetid esta palabra.

- The negative imperative form is the same as the subjunctive. See page 24 for its formation.
No hagas eso. No comas eso.
No hagáis eso. No comáis eso.

- The imperative form for *usted* and *ustedes* is the same as the subjunctive.
Ayude al señor, por favor.   *No se sienten allí.*

A Find all the positive imperatives in *Las Reglas del Blog* (below). Explain how they are formed.

B Find all the negative imperatives and explain how they are formed.

C Write these rules in Spanish:

1 Don't delete files on the hard drive. *(borrar)*
2 Don't spill tea on the keyboard. *(derramar)*
3 Carry your bagels in CD boxes. *(llevar)*
4 Don't divulge too much personal information. *(difundir)*
5 Remember the internet is a public forum. *(acordarse de)*

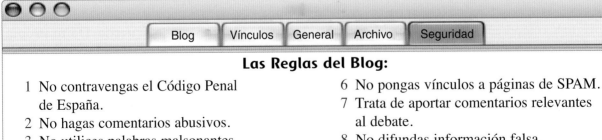

| Blog | Vínculos | General | Archivo | Seguridad |

Las Reglas del Blog:

1 No contravengas el Código Penal de España.
2 No hagas comentarios abusivos.
3 No utilices palabras malsonantes.
4 No escribas en mayúsculas.
5 Respeta la ortografía del idioma castellano.
6 No pongas vínculos a páginas de SPAM.
7 Trata de aportar comentarios relevantes al debate.
8 No difundas información falsa.
9 No inventes identidades alternativas.
10 Respeta a los otros usuarios.

3 Lee 'Las Reglas del Blog'. ¿A qué regla se refieren?

a No se deben poner mensajes ilegales.

b No escribas al estilo SMS.

c No se permite insultar.

d Escribe con letras minúsculas.

e No digas mentiras.

f Se prohíbe poner enlaces a páginas "basura".

g Utiliza lenguaje decente.

Gramática ➡169 ➡W53

The subjunctive – wanting/not wanting things to happen

- On page 24 you saw how to use the subjunctive to say what you want to happen:

  *Quiero que **compres** este perfume.*

- In activity 4, there are some more expressions for wanting things to happen or not happen. They also take the subjunctive.

Ⓐ Find the subjunctives in activity 4.

Ⓑ Work out the meaning of the expressions in **bold**.

4 Utiliza las expresiones de esta página para completar las frases.

Ejemplo: No escribas con mayúsculas … para evitar que grites.

1 … para **impedir que** el sitio se llene de contenidos basura.

2 … para **asegurar que** los mensajes sean legibles.

3 … para **permitir** que todos participen.

4 … **para que** los otros usuarios no se ofendan.

5 … para **asegurar que** tu texto sea coherente.

5 Lee el texto y contesta a las siguientes preguntas con tus propias palabras.

1 ¿Para quién es "Universo de Niños"?

2 ¿Qué es?

3 ¿Qué pueden hacer los niños?

4 ¿Cómo ayuda con la educación?

5 ¿Qué se necesita para tener acceso al proyecto?

Universo de Niños

El Proyecto

El programa Universo de Niños permite a los niños hospitalizados conocer el mundo real e imaginario a través de los últimos avances de las tecnologías de informática.

Pueden crear historias y personajes para participar en aventuras virtuales o juegos, y para comunicarse con otros niños. La facilidad de video-conferencia ofrece la posibilidad de continuar la educación sin perder clases mientras esté en el hospital o en casa.

Los niños pueden tener acceso a Universo de Niños mediante ordenadores inalámbricos, equipamiento multimedia, y programas de imágenes tridimensionales.

Los mundos imaginarios incluyen: Los Dinosaurios, Los Aztecas, La Luna, Los Cuentos de Hadas, Las Tiendas. Así los niños de diferentes edades pueden explorar y viajar a pesar de sus enfermedades.

6 Diseña un cuestionario para ver si tus compañeros son blogueros, newbies, chaters o frikis.

7 Contesta a las siguientes preguntas con tus propias palabras.

1 ¿Cómo crees que será el Internet dentro de cinco años?

2 ¿Qué peligros habrá en tu opinión?

3 ¿Crees que podremos dictar por móvil una carta que se convierta en un email?

4 Qué reglas serán necesarias para controlar el uso?

5 ¿Qué claves se podrán inventar para proteger al usuario?

8 Con un(a) compañero/a contesta a las siguientes preguntas.

- ¿Cuáles son los problemas de los blogueros?
- ¿Las reglas son necesarias?
- ¿Eres bloguero, trol, newbie, chater o friki?
- ¿Qué piensas de los blogs?

Peligros y beneficios

▶ ¿Los beneficios sobrepasan los peligros?

Using reading strategies

- Before trying to read word by word, it is useful to get to know the whole text first.

Here are some strategies you can try with any text:

a Look for numbers, people or places.

b Look at the title or pictures, then look for words that are to do with that topic.

c Find words that you can work out from English (cognates).

d Find lists, speech marks, exclamation marks or question marks.

e Look for words that hold long sentences together: 'not only … but also …' 'if … then …' 'both … and …'

f Find specific examples that are easier to understand than explanations.

g Watch out for language being used non-literally.

Ⓐ Decide which are the most effective strategies for starting to read this text.

1 Lee el texto y decide si estos fenómenos son una **realidad**, una **posibilidad** o si **no se han hecho realidad**.

  1 La tecnología ha cambiado el mundo.

  2 Internet lleva al aislamiento social.

  3 Internet permite la invasión de la privacidad.

  4 Internet tiene demasiada influencia.

  5 Los jóvenes conocen a gente de países diferentes.

  6 Los jóvenes se apoderan de la nueva tecnología.

  7 Los jóvenes han creado un nuevo lenguaje.

  8 Las grandes empresas persuaden a los jóvenes para comprar cada vez más tecnología.

  9 Los jóvenes imponen sus demandas a las empresas.

  10 Los jóvenes pueden bajar música gratis.

¡Menos logos, Caperucita!

El desarrollo de Internet y de los teléfonos móviles ha cambiado nuestro mundo. Al comienzo muchos gritaron ¡Lobo, lobo!, advirtiéndonos de muchos peligros, sobre todo para los jóvenes: el aislamiento social y la incapacidad de relacionarse con seres humanos; la intimidad amenazada por la piratería o la prepotencia de los gobiernos; la manipulación y el lavado de cerebro de los más vulnerables.

Las encuestas niegan todo esto rotundamente.

Gracias a Internet, los jóvenes están en contacto permanente con los amigos. Es más, hacen amistades nuevas con gente que comparte sus intereses. Tienen un conocimiento más amplio del mundo y una esfera social que desconoce los límites geográficos o políticos.

Los jóvenes inventan nuevas formas de relacionarse, mediante el uso de móviles. Los mensajes SMS son el paradigma de su capacidad para adaptarse a una nueva tecnología. Han terminado inventando su propia versión del idioma para comunicarse de forma rápida y eficiente con sus amigos en todo momento y en cualquier lugar.

Lejos de ser víctimas crédulas que compran cualquier invento para estar a la moda, los jóvenes se fijan, no en el aparato, sino en el servicio. Si las grandes marcas quieren aprovecharse de la nueva tecnología, los jóvenes insisten en que se mejore la calidad y se baje el precio. Vemos cómo las compañías de música tienen que cortejar a los jóvenes para que compren sus productos, si no quieren que vayan a descargarlos o compartirlos sin pagar en otro sitio.

¡Vaya, qué móvil tan viejo tienes, abuelita!

2a Escucha y decide si es verdad o mentira.

1 Los videojuegos nunca tienen efectos positivos.

2 El límite máximo de tiempo dedicado al juego debería ser de una hora.

3 Los videojuegos pueden producir problemas de salud.

4 Afectan emocionalmente a muy pocos jóvenes.

5 Los juegos pueden crear adicción.

2b Empareja las mitades de cada frase.

1 Los que juegan demasiado	a son de niños que no pueden dejar de jugar.
2 Los introvertidos	b juegan varias horas al día.
3 Los expertos	c machistas o violentos.
4 Algunos jóvenes	d dicen que se puede jugar un tiempo razonable.
5 Los epilépticos	e pueden beneficiarse.
6 Hay juegos	f tienen problemas en el instituto.
7 Los casos preocupantes	g pueden sufrir una crisis.

2c Discute con un(a) compañero/a.

Los videojuegos son una pérdida de tiempo. ¿Verdad o mentira?

3 Lee el artículo. Contesta a las preguntas en español.

1 ¿Qué se aprovecha en la Red?

2 ¿Cómo describe a la Red?

3 ¿Qué comenta sobre el precio?

4 ¿Qué se permite hacer comparado con hace veinte años?

5 ¿Qué es importante tener en cuenta acerca de la Red?

6 ¿Qué se considera un delito menor?

7 ¿Qué son los 'hackers'?

8 ¿Qué otros peligros describe?

9 ¿Qué encuentra lo más repugnante?

10 ¿Qué comenta sobre la libertad?

4 ¿La tecnología domina la vida de los jóvenes? Organiza las siguientes ideas para construir tu argumento. Luego utiliza lo que has aprendido en esta unidad para escribir una respuesta a la pregunta.

- La tecnología puede parecer ridícula.
- El precio excesivo de los aparatos que quieren comprar los jóvenes
- Los problemas potenciales de Internet
- Las formas de superar los problemas
- Los aspectos positivos de la tecnología
- Las actitudes de los jóvenes

Los peligros de la Red

Ya estamos bastante acostumbrados a los aspectos positivos que nos ofrece Internet y los aprovechamos bastante. Reconozcamos que es una herramienta enormemente poderosa que tiene inmensas posibilidades beneficiosas para todos los usuarios. Ante todo, hoy por hoy, tiene un precio asequible que permite a los internautas educarse, comunicarse, entretenerse y abrir sus horizontes de una forma jamás vista hace unos 20 años.

No obstante al mismo tiempo hay que darse cuenta de que la Red es un sitio público y por consiguiente se presta al abuso. Empecemos con los que se pueden considerar como delitos menores; las estafas en las compras. Si es un vendedor falso, el comprador no tiene los recursos legales que en teoría deberían protegerle. Hoy en día todo el mundo debe ser consciente de que los 'hackers' pueden acceder a información segura o privada. Las grandes empresas y hasta los gobiernos son los que más peligro corren en estos casos. Junto a ésto, también se da la piratería informática o el sabotaje de bases de datos y es que la Red se ofrece a toda clase de delincuentes sean narcotraficantes, terroristas o estafadores – libertad y anonimato.

Tal vez el tipo de delincuencia que más asco da sea el de la ciberpornografía, sobre todo de menores. Ya es hora de que haya un plan mundial para combatir tales delitos. No es cuestión de que haya libertades o no y los que levantan la voz en defensa de la libertad en Internet deben pensar larga y detenidamente porque todos tenemos nuestros derechos. En un mundo civilizado tales actos son delitos en cualquier país; no se puede pasar más tiempo sin poner reglas al ciberespacio.

Gramática en acción

➡170

Recuerda

Imperatives

- When you want to use an imperative, remember that positive and negative imperatives have different endings. See page 36 for a reminder of how to form them.

  Llama a tu madre al móvil.

  Vende tu tocadiscos en Internet.

  No llames a tu madre al móvil.

  No vendas tu tocadiscos en Internet.

A Read the suggestions for protecting your laptop and match the sentence halves. There are several possibilities.

1 Lleva	**a** a la vista tu portátil.
2 No dejes	**b** el número de serie en un lugar seguro.
3 Anota	**c** tu portátil cuando vayas a la piscina o al gimnasio.
4 Haz	**d** tu portátil en tu habitación de hotel.
5 No lleves	**e** tu portátil en una bolsa o una mochila discreta.
6 Pon	**f** una copia de seguridad de tus documentos más importantes.
7 No olvides	**g** una etiqueta en el portátil con tu nombre y teléfono.

B Write some suggestions for protecting your mobile. Use the verbs in activity A to help you.

➡169

Recuerda

Uses of the subjunctive

You have met two uses of the subjunctive:

1 Saying what someone wants to happen – *Quiero que compres un ordenador nuevo.*

2 Giving value judgements or expressing emotions – *Es una lástima que no tengas teléfono.*

C Read and decide why the subjunctive is used in each case:

Wanting/not wanting	Value judgement/ emotion
Ejemplo: 1	

1 Quieren que todos estudien informática.

2 Necesito que me llames.

3 ¡Me sorprende que funcione tu aparato!

4 Me fascina que puedas alquilar películas en Internet.

5 Voy a prohibir que traigan teléfonos a mi clase.

D Completa estas frases con verbos en subjuntivo.

1 Quiero que me ...... ese teléfono.

2 Me sorprende que no ...... navegar por Internet.

3 Insisto en que ...... un mensaje desde Barcelona.

4 No me gusta que ...... mi foto en tu página web.

5 No es bueno que ...... tanto dinero en tecnología.

6 Es increíble que ...... tan rápido.

7 Es preferible que no ...... tanto tiempo en el ordenador.

pasar	comprar	enviar	ser
saber	gastar	poner	

Vocabulario

Tecnología: los hechos *pages 34–35*

un aparato	*gadget*
un auricular	*earpiece*
la diversión	*entertainment*
la energía solar	*solar power*
el fichero	*file*
una lástima	*pity*
un mando a distancia	*remote control*
la mayoría	*majority*
el móvil	*mobile phone*
el portátil	*laptop*
un sondeo	*survey*
conectarse	*to connect*
descargar	*to download*
emitir	*to send out*
enchufarse	*to plug in*
navegar (Internet)	*to surf the Internet*
recargar	*to charge up/recharge*
valorar	*to value*
me choca que …	*I'm shocked that …*
me preocupa que …	*I'm worried that …*

La blogosfera *pages 36–37*

un bloguero	*a blogger*
los chaters	*a chatter (one who uses SMS style words in text)*
un friki	*a geek*
las mayúsculas	*capital letters*
una mentira	*lie*
los newbies	*newcomers*
la ortografía	*spelling*
los troles	*someone who sends spam or writes abusive messages on blogs*
los usuarios títeres	*people who use cyber names (not their real name)*
los vínculos	*links*
aportar	*to bring to*
asegurar que	*to ensure that*
contravenir	*to contravene/break the law*
difundir	*to spread*
impedir	*to prevent*
molestar	*to annoy*
permitir	*to allow/permit*
malsonantes	*insulting*
para que	*in order that*

Peligros y beneficios *pages 38–39*

el aislamiento	*isolation*
el desarrollo	*development*
las empresas	*companies*
la incapacidad	*incapacity*
la intimidad	*privacy*
el lavado de cerebro	*brainwashing*
la marca	*make*
la piratería	*piracy*
la prepotencia	*arrogance*
la privacidad	*privacy*
advertir	*to warn*
apoderarse de	*to take possession/control of*
cortejar	*to court/curry favour with*
desconocer	*to not know*
negar	*to deny*
crédulo/a	*credulous*
rotundamente	*soundly/absolutely*
cada vez más	*more and more*
lejos de	*far from*

Rellena los espacios en las frases siguientes con la forma adecuada del verbo o de la palabra entre paréntesis.

1 En mi casa siempre hay aparatos _____ en cada pieza. (cargarse)

2 Me preocupa que muchos de mis amigos _____ el Código Penal al descargar música ilegalmente. (contravenir)

3 A mis padres les choca que _____ los deberes con el portátil. (hacer)

4 Cierta gente cree que se justifica utilizar palabras _____ cuando escriben emails. (malsonante)

5 Hay unos blogueros _____ que pasan su vida escribiendo los pormenores de su día entero para que lo sepa todo el mundo. (audaz)

Extra

Hablar de más ...

A

El exponer cada detalle de la vida en las <u>redes</u> sociales es otra <u>amenaza</u> muy latente, en especial considerando que muchos hacen de esa costumbre casi un deporte. El problema es que cualquier persona en las redes sociales puede tener <u>acceso</u> a toda esta valiosa información, muchas veces por <u>desconocidos</u>. Una de las últimas <u>tácticas</u> que están usando es recoger parte de esta información como direcciones, fechas de nacimiento y números de teléfono, para obtener tarjetas o créditos. El consejo es muy sencillo: no "hable" de más en estos sitios.

Geolocalización en smartphones

B

Aunque el uso de GPS para ubicar direcciones, amigos o lugares de interés es una de las <u>herramientas</u> más atractivas de la navegación móvil, lo cierto es que los <u>delincuentes</u> informáticos están comenzando a <u>sacar partido</u> de estas herramientas. Es el caso de algunas aplicaciones "<u>espía</u>" como un juego de matar serpientes detectado en la tienda de <u>aplicaciones</u> para Android, que aprovechaba el GPS de los equipos para señalar la ubicación de un individuo <u>sin su consentimiento</u>. Claro, ese tipo de aplicaciones pueden ser una maravilla para esposas o esposos celosos, pero seguramente quien resulte <u>víctima</u> del "<u>fisgoneo</u>" no le hará ninguna gracia.

Cuidado con la publicidad

C

Los <u>avisos</u> o "ads" en internet permiten hacer rentables los <u>sitios</u>. De eso no cabe duda. Pero los <u>cibercriminales</u> los están aprovechando para <u>insertar</u> links que <u>aparentan</u> <u>enlazar</u> con sitios de compañías famosas. ¿El <u>truco</u> final? Al igual que ocurre con otras <u>artimañas</u> en la web, al <u>hacer clic</u> sobre estos avisos se <u>descargan</u> <u>códigos</u> <u>maliciosos</u> que contienen <u>virus</u> u otras amenazas que pueden <u>robar</u> <u>contraseñas</u> o transformar los computadores en <u>máquinas</u> "zombies". Tal y como suena, es una especie de "<u>secuestro</u>" informático a distancia que opera "orquestando" a miles de PC conectados vía web para que envíen <u>ataques</u> masivos o cadenas de <u>spam</u>. PC World indica que lo más seguro es confiar en estos avisos cuando están insertos en sitios conocidos, pero recomienda no hacerlo con los avisos en sitios más abiertos como los <u>buscadores</u>.

1a Lee el texto. Haz corresponder los principios de las frases (1–4) con la parte final (a–d).

1 No hay que seguir enlaces

2 No hay que revelar

3 Hay que tener cuidado con

4 Un juego puede esconder

a insertos en sitios desconocidos.

b herramientas sofisticadas en tu teléfono.

c un espía.

d demasiada información en sitios personales.

1b ¿A cuál de los párrafos se refiere cada frase?

1c Explica en una frase el peligro de cada párrafo.

1d Lee las frases que contienen las palabras subrayadas. Clasifica las palabras:

tecnología	crimen
redes	

1e En tu opinión personal, ¿cuál de los tres párrafos es el mejor ejemplo de ...

1 una amenaza muy grave y actual?

2 una amenaza que será más grave en el futuro?

3 una amenaza que se puede evitar?

4 una amenaza que nos afecta en el mundo virtual?

5 una amenaza que nos afecta en la vida real?

6 una consecuencia inevitable de cómo utilizamos la tecnología?

7 un riesgo aceptable?

Técnica

Inferring meaning when listening

As well as understanding the main points and details, you need to **infer meaning**. This means that you understand information that is not stated explicitly.

- Use the question to help – read the problems and make sure you understand what each one is about.
- Listen for clue words that will give the information you are looking for and help you make the link.

A Listen to Lidia, Rodolfo and Javier talking about technological problems. Work out which problem each person is talking about:

1 redes sociales   2 móviles   3 anuncios

2 Escribe un párrafo sobre uno de esos peligros. Intenta utilizar el vocabulario de actividad 1d.

- Perdemos la capacidad de sobrevivir sin la tecnología.
- La privacidad se ha perdido.
- Los ordenadores empiezan a dominar a los humanos.
- El mundo virtual es un mundo sin leyes y sin justicia.

4 El cine

1a Lee y empareja la definición A–E con un género de la lista de abajo.

thriller   comedia   ciencia ficción   aventura   terror

romance   del oeste   dibujos animados   musical   policíaca

A A veces te hacen reír a carcajadas por las payasadas de los protagonistas pero otras veces te hacen pensar porque a pesar del humor la situación es triste o emotiva.

B A menudo tienen un argumento bastante complicado y nunca se sabe lo que va a pasar hasta el último momento cuando normalmente el héroe salva la situación con una hazaña increíble.

C Su propósito es el de dar miedo en cantidades hasta que te fuerza a esconder la cara entre las manos y mirar la peli por entre los dedos.

D No tienen protagonistas humanos sino figuras dibujadas que hablan con voces humanas; a veces son animales que cuentan una historia que podría tener su paralelo con una historia humana.

E Se proyectan hacia un futuro lejano o no tan lejano e inventan lo que podría pasar entre los planetas – la mayoría de las veces tratan del enfrentamiento entre el Mal y el Bien.

1b Escribe definiciones similares para los cinco géneros que sobran.

1c Da un ejemplo para cada género y busca su título equivalente en español.

Ejemplo: Vanilla Sky = Abre los ojos

2a 👥 Habla con un(a) compañero/a.

¿Qué películas han sido las más taquilleras de los últimos seis meses?

¿Cómo las calificarías?

El Ranking – puntuación	
☆ ☆ ☆ ☆ ☆	obra maestra
☆ ☆ ☆ ☆	muy buena
☆ ☆ ☆	buena
☆ ☆	regular
☆	mala
X	horrible

2b En tu opinión ¿cuál ha sido la mejor peli de este año? ¿Por qué? ¿Qué tipo es?

Protagonistas y tendencias

▶ *El papel del cine en la cultura popular*
▶ *Los cambios que se han visto.*

1a  **Lee el texto y busca las frases que significan:**

1 production company
2 not only … but also
3 to play the part of
4 the script
5 it's all about
6 in spite of the fact that
7 whatever you do
8 to film a motion picture

Gael García Bernal

Estudiaba en la Central School of Speech and Drama de Londres cuando Alejandro González Iñárritu le invitó a rodar *Amores Perros*, sensacional película que lanzó el movimiento de la "Buena Onda" del cine latinoamericano.

Gael García Bernal no es sólo un buen actor. Lo interesante es que también ha fundado una compañía productora, Canana de México, con algunos de sus amigos, entre ellos Diego Luna. *Déficit* es una de sus primeras películas. Lo mejor es que Bernal no sólo dirige la película sino que también desempeña el papel del protagonista Cristóbal y su buen amigo Kyzza Terrazas escribió el guión.

Se trata de un día en la vida de Cristóbal, chico popular y ricachón, estudiante de Harvard que en una fiesta en las afueras de la Ciudad de México intenta seducir a Dolores, una belleza argentina, a pesar de que ya tiene novia.

Al mismo tiempo lo que nos interesa sobre todo es cómo se desarrolla su relación con Adán, jardinero que fue amigo de Cristóbal en el pasado. Se han ido separando por las divisiones de clase y raza implacables de la sociedad mexicana. Los eventos de un solo día marcan la vida de Cristóbal para siempre.

"Lo que sea que hagas implica un punto de vista político: así es la vida en Latinoamérica. Lo político nos rodea a todas horas. Lo más importante es hacerse preguntas y tratar de mostrar las divisiones sociales y la corrupción": esto es lo que comenta Bernal de su película.

1b **Escoge la respuesta correcta.**

1 La primera película que Bernal rodó como director es
   a *La Buena Onda* **b** *Amores Perros* **c** *Déficit*

2 Canana es
   a una película **b** un director **c** una compañía productora.

3 Diego Luna fue
   a fundador **b** guionista **c** protagonista de Canana.

4 Cristóbal es
   a un personaje **b** guionista **c** cineasta de la película.

5 La acción se desarrolla durante
   a un año **b** un mes **c** un día.

6 El tema de la película es
   a cómico **b** romántico **c** fantástico.

2a **Escucha el programa de radio "Tertulia sobre mujeres del cine actual". Indica las tres frases correctas.**

1 Penélope Cruz es de Nueva York.
2 Nació el 28 de abril.
3 Vivía con su abuela cuando era niña.
4 *Goya* ganó un Óscar.
5 *Vanilla Sky* es la versión americana de *Abre los Ojos*.
6 Mónica es su hermana gemela.
7 Victoria Abril es una actriz española.
8 Penélope no habla inglés.

2b **Explica por qué las otras frases no son correctas.**

2c **Escucha otra vez y escribe un resumen en inglés de unas 120 palabras. Menciona:**

● la niñez de Penélope Cruz
● sus películas   ● sus papeles

2d **Prepara una presentación oral sobre tu actor preferido.**
● una breve biografía   ● una descripción física
● los títulos y géneros de película en que actúa
● tu opinión

3a Lee y decide si las frases que siguen son verdaderas o falsas según el texto.

1 Juan Rulfo era profesor de literatura mexicana.
2 Su hijo es un documentalista joven.
3 Las películas de Juan Carlos han ganado varios premios.
4 Estudió su carrera en Argentina.
5 No pudo ir al Festival de Sundance.

3b ¿Qué piensas que significa el título "De tal palo, tal astilla"? ¿Cómo se dice en inglés?

De tal palo, tal astilla

Juan Carlos Rulfo es hijo de Juan Rulfo, uno de los escritores más importantes de la literatura mexicana, y parece haber heredado de su padre dotes de expresión similares, pero de imágenes visuales y no de palabras escritas.

Se graduó en 1995 en el Centro de Capacitación Cinematográfica de México con un documental corto, *El abuelo Cheno y otras historias*. Después siguieron varios premios y becas y la posibilidad de rodar su primer largometraje *Del olvido al no me acuerdo*.

Lo mejor es que esta película fue seleccionada en el Festival de Sundance, lo que le ayudó a financiar su segundo largometraje *En el hoyo*. Su nombre ya comienza a trascender las fronteras mexicanas para convertirse en uno de los documentalistas internacionales más importantes de la actualidad.

3c Busca en el texto palabras o frases que signifiquen:

1 principales
2 talentos
3 dinero
4 hacer una película
5 escogido
6 cruzar
7 llegar a ser
8 de hoy en día

Pronunciation
How to work out how to pronounce the word from its written form

Remember when learning new vocabulary to learn how to say the word as well as to spell it.

● If the word ends in a vowel, the stress falls on the penultimate (next to last) syllable:

hablo   mesa   independiente

Words ending in an *s* or an *n* follow the same pattern:

hablas   hablan   mesas   independientes

● If the word ends in a consonant (except *s* or *n*), the stress falls on the last syllable.

hablar   actitud   corral

If you want the stress to fall on a different syllable, you must use an accent:

jardín   último   jóvenes

Accents can also be used to show the difference in writing between two words that sound identical:

más (more)   *mas* (but)   *qué* (what)   *que* (that)

A Which words require an accent and which are correctly written?

1 pelicula
2 fantasia
3 comedia
4 romantico
5 actor
6 mexicano

B Words which look like Spanish words often catch you out in an oral exam.
Practise saying:

Spanish	English
cine	cinema
televisión	television
hotel	hotel
alcohol	alcohol

4a Ayer y hoy en el mundo del cine

Escucha la entrevista y anota los cambios que se han visto en:

● las tendencias de películas
● los formatos   ● las estrellas
● la técnica   ● los cines

4b Escribe un párrafo breve de unas cincuenta palabras comparando lo que era popular en la época de la Señora Vivanco con hoy.

4 Las más taquilleras

▶ *¿Qué es lo que hace una buena película?*

1a Escucha y rellena los espacios en el diálogo.

- ¿Qué tipo de cinéfilo eres? ¿Qué género prefieres?
- Pues, me encantan (1) … .
- ¿Quién es el director?
- (2) …, pero no sé quién escribió el guión.
- ¿Quiénes son los intérpretes?
- (3) … son los protagonistas.
- Vale. ¿Y el argumento?
- Bueno, trata de (4) …

1b Practica el diálogo con un(a) compañero/a, reemplazando la información 1–4 con tus propios datos.

1c Escucha unos diálogos más y para cada persona anota:

- **a** qué tipo de película prefiere
- **c** los intérpretes
- **b** el director
- **d** de qué trata

1d Escucha otra vez y decide si las frases de abajo son verdaderas (V), falsas (F) o no se mencionan (X).

Diálogo 1

1 Dicen que Spiderman es una película fantástica.
2 Paz Vega trabaja en un supermercado.
3 Ella se enamora de Morgan Freeman.
4 La película tiene lugar en San Francisco.

Diálogo 2

1 Hablan de una comedia dramática.
2 Hugh Grant desempeña el papel de un músico deprimido y en paro.
3 Se encuentra con una chica que le enseña a escribir.

Diálogo 3

1 Hablan de un thriller psicológico.
2 Es la primera película de una trilogía.
3 Rodaron unas escenas en Marbella.

Gramática ➡166 ➡W41

The imperfect
The following endings are added to the stem:

- -ar verbs:

hablaba	hablabas	hablaba
hablábamos	hablabais	hablaban

- -er and -ir verbs:

comía	comías	comía
comíamos	comíais	comían
vivía	vivías	vivía
vivíamos	vivíais	vivían

- Irregular verbs:

ser: era	eras	era	éramos erais	eran
ir: iba	ibas	iba	íbamos ibais	iban

You use the imperfect tense

– to say what used to happen regularly or repeatedly in the past.

De niño siempre veía las películas de acción porque me encantaban.

– to say what happened over a long (indefinite) period of time.

También escuchábamos discos porque no teníamos ipod.

– to say what was happening (a continuous action).

En Piratas del Caribe 3 los protagonistas se enfrentaban con las mismas amenazas de siempre.

– to describe what someone or something was like in the past.

A los 18 años Shakira tenía el pelo negro.

– to describe or set the scene in a narrative in the past.

La tormenta se acercaba y el viento soplaba.

– to say what was going to happen or what someone was going to do.

Iba a desempeñar el papel de "malo".

A Answer the questions in Spanish and describe a scene from a film you have seen recently.

1 ¿Dónde ocurría la escena?
2 ¿Qué tiempo hacía?
3 ¿Cómo eran los protagonistas?
4 ¿Qué vestidos llevaban?
5 ¿Qué hacían?

2a Lee la sinopsis de la película y completa la ficha.

> Título: _____
> Director: _____
> Género: _____
> Argumento: _____
> Protagonistas: _____
> Premios: _____

Volver

Escrita y dirigida por Pedro Almodóvar, esta película que es un drama cómico o comedia dramática trata de tres generaciones de mujeres que sobreviven al fuego, a la superstición, a la locura e incluso a la muerte a base de bondad, mentiras y una increíble vitalidad.

Ellas son Raimunda (Penélope Cruz), casada con un obrero en paro y con una hija adolescente (Yohana Cobo); Sole (Lola Dueñas), su hermana que trabaja como peluquera; y la madre de ambas (Carmen Maura), muerta en un incendio y que se aparece a los demás personajes.

En *Volver*, vivos y muertos conviven con normalidad, provocando situaciones divertidas o de una emoción intensa y genuina. Es una película sobre la cultura de la muerte en la región de la Mancha, donde la muerte se vive con una naturalidad admirable que hace que los muertos no mueran nunca del todo.

Ganadora de cinco Goyas, nominada para los Oscars de Hollywood y premiada en el Festival de Cine de Cannes a la mejor interpretación femenina y mejor guión, *Volver* muestra una España espontánea, divertida, intrépida, solidaria y justa.

2b Busca en la sinopsis las cinco frases que signifiquen:

1 who survive
2 an out of work labourer
3 both of them
4 the rest of the cast
5 never die completely

2c Traduce el último párrafo al inglés.

Técnica

Speaking: putting forward opinions

Think about these three different ways of presenting opinions:

1 Putting forward both sides of an argument
2 Considering then rejecting a point of view
3 Presenting your own opinion

A Match these phrases to the three different ways:

Creo que …
Hay que considerar que …
No se puede negar que …
No podemos olvidarnos de que …
Se podría creer que …
Se supone que …
Por un lado … por el otro …
A mi modo de ver …
No solamente … sino también …

If you want to assert something as a fact, use the indicative. If you are presenting something as a value judgement or an emotion use the subjunctive.

Creo que X es la mejor película del año, y que va a ganar un Óscar/Goya.

No se puede negar que X sea la mejor película del año, pero no creo que vaya a ganar un Óscar/Goya.

B Discuss some recent films you have seen then write your opinions using the phrases above and the **frases clave** below. Try to include as much 'cinema' vocabulary as you can.

Frases clave

lo bueno	lo malo
lo más difícil	lo mejor
lo peor	lo que más/menos me gustó

3a Escribe una crítica de unas ciento cincuenta palabras sobre una película que hayas visto recientemente y aplica el consejo de abajo. Usa los títulos de abajo también.

"Para que el guión sea eficaz necesita personajes verosímiles, diálogo conciso y un impulso natural. Siempre hay que concentrarse en las preguntas ¿quién, qué, dónde y cuándo?"

el director	**el guionista**
el guión	**los protagonistas**
el argumento	**el comentario**

3b Explica por qué la recomendarías o no. Usa las frases clave de arriba.

¿En el cine convencional o en casa o cómo?

▶ *¿Cuál es el modo preferido de ver las películas?*

News feed   Most recent

Share: Photo   Link   Video

Bela _ 17 dice: ¡Hola Eme! ¿Qué te has hecho?

Lagartija dice: Estaba en la calle con un grupo de amigos e insistieron en ir al nuevo complejo de cines en el centro. Te cuento que es una maravilla.

Bela_17 dice: ¡Guay! ¿Y eso.....?

Lagartija dice: Bueno lo primero de todo es que consiste en seis cines diferentes pero todos modernísimos no como antes que eran tan feos y sucios y te pensabas dos veces en entrar porque daba miedo.

Bela _17 dice: ¡No me digas! Más cómodo verla en casa en DVD....

Lagartija dice: No creo – ya me harté de estar en casa. Hay mejor ambiente en el cine y además es más sociable encontrarse con los amigos y discutir la peli después en grupo ¿verdad?

Bela_17 dice: Cosa tuya – acabo de bajar unas pelis clásicas y éstas no las puedes ver en el cine normalmente.

Lagartija dice: Pues tienes razón pero dejé de ver las clásicas hace tiempo y ahora cuando tengo ganas de ver una peli siempre puedo encontrar alguna en el ordenador o la pido en Blockbusters o hasta he comenzado a comprarlas por la calle.....

Bela_17 dice: ¡¡¡Ay!!! Nunca – jamás – hoy en día hay demasiada piratería.

Lagartija dice: De acuerdo y no tienen muy buena calidad y por eso prefiero ir al cine. Tienes que pagar más pero vale la pena porque se ve en el tamaño adecuado, no en una pantalla pequeña que la rinde insignificante.

Bela_17 dice: Fenomenal ¡Eres un fanático!

Lagartija dice: Acertaste – y he comenzado a escribir un guión y voy a dedicarme a rodar mis propias películas de cortometraje con una cámara que acabo de alquilar. Necesito actores si quieres.....

Bela_17 dice: ¡Claro! ¿qué si quiero......? voy para allá en seguida.

Bela _ 17 se ha desconectado

1a Lee el chat y decide ¿Quién ...? Escribe B (Bela) o L (Lagartija).

1 ... es entusiasta del cine?
2 ... acaba de ver una película?
3 ... no estaba en el grupo de amigos?
4 ... prefiere ver DVDs?
5 ... tenía miedo de entrar en los cines viejos?
6 ... es un fanático de las películas clásicas?
7 ... se opone a las copias piratas?
8 ... se harta de estar en casa?
9 ... critica la pantalla pequeña?
10 ... quiere participar en un rodaje?

1b Aquí hay ocho expresiones inglesas. Busca las expresiones similares en español en el chat.

1 What have you been up to?
2 You thought twice about
3 You don't say!
4 I got fed up of
5 That's up to you! That's what you think!
6 Spot on!
7 Great!
8 Do I want to ...?

2 Lee el artículo sobre el futuro del cine e identifica en qué párrafo se mencionan:

1 las pelis espectaculares
2 la hemorragia de cineastas
3 los cortometrajes
4 la piratería
5 las opciones para el público según el autor
6 el cambio desde hace diez años
7 una página web
8 los problemas entre el cine e Internet

A La industria del cine se juega su ser o no ser con las nuevas tecnologías. Ya se descargan de forma ilegal millones de películas lo que pone en peligro a la relación entre cine e Internet. El mundo del cine está sangrando y perdiendo millones de espectadores, año tras año.

B Lo mismo pasa en el mundo del DVD. Existe un clima de permisividad increíble con la piratería mundialmente. De hecho España ocupa la primera posición en Europa en número de descargas ilegales. "Es como si la gente entrara en El Corte Inglés, robara los perfumes y después los revendiera en la propia puerta." lamenta un productor conocido. La relación entre los cineastas y su público ha caído en una profunda crisis que no se podía anticipar. Hace diez años el correo electrónico no se usaba tanto.

C Las películas que van a sufrir, a fin de cuentas, son las de mediano presupuesto; las grandes producciones que ofrecen un gran espectáculo, y las de presupuestos muy bajos, seguirán como siempre. Además con la irrupción de You Tube (página web que aloja millones de videos) los cortometrajes han encontrado una ventana abierta de par en par. Destaca también el festival Notodo FilmFest dedicado a películas realizadas exclusivamente para Internet. Gracias a la Red, cualquier cinéfilo tiene acceso a un mundo de pelis y a una comunidad de personas con intereses similares a través de los blogs y foros.

D Lo bueno es que los cineastas independientes que antes encontraban difícil distribuir sus películas ahora tienen la oportunidad de hacerlo eficazmente y sin tantos intermediarios. En el futuro los espectadores tendrán acceso inmediato a todo el cine que se produce en el mundo y esto ayuda mucho a la situación española que tiene un público enorme en el mercado latinoamericano. Con los nuevos DVDs de alta definición el público puede escoger entre su propio equipo de Home Cinema, ver copias ilegales 'defectuosas' o ir a una sala de cine.

3 Sondeo de clase.

1 ¿Cómo prefieres ver las pelis – en DVD, en el cine, en el ordenador, otro? ¿Por qué prefieres este modo comparado con otros modos?

2 ¿Crees que el cine perdurará tal como es? ¿Si no lo crees qué cambios crees que habrá?

Gramática 172

Verbs followed by the infinitive or by a preposition

- Some verbs can be followed by another verb in the infinitive. Other verbs are followed by a preposition. Some of the most common are:

acabar con	to do away with
acabar de + inf	to have just
acabar por + inf	to end up
comenzar a + inf	to start to
consistir en	to consist of
decidir + inf	to decide to
dedicarse a + inf	to dedicate yourself to
dejar de + inf	to stop doing something
empezar a + inf	to start to
hartarse de	to be fed up with
insistir en	to insist on
ir a + inf	to be going to
pensar + inf	to be thinking of
pensar de	to think of (opinion)
pensar en	to think about
poder + inf	to be able to

ponerse a + inf	to start to
querer + inf	to want to
tener ganas de + inf	to feel like
tener que + inf	to have to
volver a + inf	to do something again

e.g.

¿Piensas ir al cine esta noche?
Are you thinking of going to the cinema tonight?

Acabo de volver del multiplex del centro comercial.
I've just come back from the multiplex in the shopping centre.

A Reorganise the verbs above according to what follows them. It may make it easier to learn them.

B Reread the chat and find examples of the verbs listed above.

Gramática en acción

➡ 165

Recuerda

Past tenses

You have now covered the most commonly used past tenses: the preterite, the perfect and the imperfect.

Revise them in units 1–4 and make sure you can recognise them, know how to form them and where to look them up to check they are correct.

Learn all exceptions to the rules and irregular past participles.

You need to be able to work with a variety of tenses within a text.

A Read the text on Gael García Bernal on page 44 again and list the verbs which are examples for each of the tenses above. You will find one imperfect tense; four preterites and two perfect tenses.

B Translate each one into English.

C Translate the following sentences into Spanish.

1 When he was little, my brother used to like playing with Action Man.

2 We all used to love watching children's films with our parents.

3 There weren't so many films to choose from then.

4 We only ever went to the cinema on special occasions.

5 Last week I saw a new film in 3D.

6 I loved the special effects but the storyline was silly.

7 My father only ever watched war films or westerns.

8 They were going to pull down our local cinema because no one ever went there.

9 Fortunately someone had the sense to refurbish it and now it's very popular.

10 I've always loved going to the cinema; I've never watched a film on the computer.

D Tell your partner at least six things you did this morning before you left home. Use the perfect and/or preterite tense.

E Now write about what you did on one specific day last week. Use a variety of past tenses.

F Now describe the events of a film you saw recently.

➡ 164

Recuerda

Iba a ...

You already know how to say what you are going to do using the present tense of the verb *ir* plus *a* and the infinitive of the verb of action.

Voy a escuchar el último CD de Shakira.

Now you can say what you **were** going to do by using the imperfect tense of the verb *ir* plus *a* and the infinitive of the verb of action.

Iba a escuchar el último CD de Chenoa.

G Take turns with a partner:

Person A says what he/she is going to do:
Voy a ir al cine esta noche.

Person B replies with what he/she was going to do:
Yo también iba a ir al cine esta noche.

➡ 163

Recuerda

Lo/Lo que

In English we tend to use the word 'thing' more than we realize. If you do this in Spanish, it makes you sound very English. One way to avoid this is to use *lo* or *lo que*.

- *Lo* means 'the thing', in expressions such as
  | *lo bueno* | the good thing |
  | *lo malo* | the bad thing |

- *Lo* can also mean 'how', in expressions such as
  No sabía lo difícil que iba a ser.
  I didn't know how difficult it was going to be.

- Sometimes *lo* is difficult to translate, because the word 'thing' wouldn't be right in English.
  | *lo anticuado* | the out-of-date quality |
  | *lo grande* | the 'bigness'/size |

- *Lo que* means 'the thing that' or 'what':
  | *lo que no me gusta* | the thing I don't like |
  | *lo que no entiendo* | what I don't understand |

H In the text on Gael García Bernal on page 44 find and translate all the phrases with *lo/la que*.

Vocabulario

Protagonistas y tendencias	pages 44–45
una beca	scholarship
un dote	talent
el guión	script
un largometraje	full-length film
la onda	wave
el protagonista	main character
la raza	race
desarrollarse	to develop
desempeñar un papel	to act a role
dirigir	to direct
fundar	to found
heredar	to inherit
lanzar	to launch
rodar una película	to make a film
rodear	to surround
gemelo/a	twin
implacable	implacable/relentless
ricachón/a	wealthy
a pesar de que	in spite of the fact that

Las más taquilleras	pages 46–47
el argumento	storyline
la bondad	kindness
un cinéfilo	film buff
el género	genre/type
un incendio	fire
los intérpretes	actors/interpreters
la locura	madness
la mentira	lie
un obrero	worker/labourer
aparecerse	to appear as a ghost
nominar	to nominate
premiar	to reward/give a prize to
sobrevivir	to survive
tratar de	to be about
ambos/as	both
chocante	shocking
impactante	impressive
en paro/parado	out of work/on the dole

¿En el cine convencional o en casa o cómo?	pages 48–49
el ambiente	atmosphere
la calidad	quality
el complejo	complex
la piratería	piracy
acabar de	to have just done something
alquilar	to rent
consistir en	to consist of
contar	to tell
dar miedo	to make you afraid
descargar	to download
hartarse de	to be fed up with
insistir en	to insist on
pensar dos veces en	to think twice about
rendir	to make it/render it
tener ganas de	to feel like doing something
valer la pena	to be worth it
feo/a	ugly
sucio/a	dirty
además	besides
¡no me digas!	You don't say!
hace tiempo	ages ago
¿Qué has hecho?	What have you been up to?

Rellena los espacios en las frases siguientes con la forma adecuada del verbo o de la palabra entre paréntesis.

1 Todos los actores _____ que iba a ganar un Oscar con su papel del Rey. (decir)

2 Al final de la película el protagonista _____ acribillado a balazos por los vaqueros malévolos. (morir)

3 De niños mis hermanos y yo _____ fanáticos de las clásicas del Gordo y el Flaco. (ser)

4 El último papel que desempeñó fue de una mujer _____ y chocante. (salaz)

5 La piratería va a acabar con las películas _____ de los directores intermedios. (novedoso)

Extra

Preestrenos | DVD | Carteles | Top 10 | Actualidad

Volver

1 Durante la escritura del guión y el rodaje mi madre ha estado siempre presente y muy cerca. No sé si la película es buena (no soy yo quién debe decirlo), pero sí estoy seguro de que me ha sentado muy bien hacerla. Tengo la impresión, y espero que no sea un sentimiento pasajero, de que he conseguido encajar una pieza, (cuyo desajuste, a lo largo de mi vida me ha provocado mucho dolor y mucha ansiedad, diría incluso que en los últimos años había deteriorado mi existencia, dramatizándola más de la cuenta).

2 La pieza a la que me refiero es "la muerte" (no sólo la mía y la de mis seres queridos) sino la desaparición implacable de todo lo que está vivo. Nunca lo he aceptado, ni lo he entendido. Y eso te pone en una situación angustiosa ante el cada vez más rápido paso del tiempo.

3 En los años que llevo de vida, nunca he sido una persona serena, (ni me ha importado lo más mínimo) mi innata inquietud junto a una galopante insatisfacción me han servido generalmente de estímulo. Ha sido en los últimos años, en los que mi vida se ha ido deteriorando, consumida por una terrible ansiedad. Y eso no era bueno ni para vivir, ni para trabajar.

4 Para dirigir una película es más importante tener paciencia que talento. Y yo, hace tiempo que había perdido toda la paciencia, en especial, para las cosas triviales que son las que más paciencia demandan. Esto no quiere decir que me haya vuelto menos perfeccionista o más complaciente, en absoluto.

5 A pesar de mi condición de no creyente, he intentado traer al personaje (de Carmen Maura) del más allá. Y la he hecho hablar del cielo, el infierno y del purgatorio. Y, no soy el primero en descubrirlo, el más allá está aquí. El más allá está en el más acá. El infierno, el cielo o el purgatorio somos nosotros, están dentro de nosotros, ya lo dijo Sartre mejor que yo.

1a Después de hacer las actividades relacionadas con la película Volver en la página 47, lee esos comentarios del director Pedro Almodóvar. Decide si cada párrafo (1 a 5) trata de:
- la película Volver
- la vida personal de Almodóvar
- la vida profesional de Almodóvar
- la filosofía de Almodóvar

1b Busca vocabulario en el texto para llenar la tabla.

películas	emoción	filosofía
guión		

Técnica

Inferring meaning when reading
Sometimes you have to be able to read between the lines:
- Look carefully at the question.
- Decide if it refers to a specific part of the text, or overall impression.
- Understand why someone avoids saying something personal or painful.
- Look for detail in the way they write, that shows there is something more.

A Do you think these sentences are true? What is there in the text that gives you that impression?
1 Almodóvar's mother has died.
2 Almodóvar thinks 'Volver' is a good film.
3 He is not satisfied with other films he has made.
4 He is a perfectionist.
5 In his youth, he was brought up as a Christian.

2 Explica lo que significa cuando dice "Para dirigir una película es más importante tener paciencia que talento." ¿Estás de acuerdo?

3 Escucha las palabras de Almodóvar sobre 'Volver'. Pon en orden esas ideas según lo que escuchas:
1 Es imprescindible contar con los mejores actores.
2 El riesgo es de caer en un estilo confuso y exagerado o ridículo.
3 Volver es una mezcla de comedia y drama.
4 La solución es buscar un estilo realista aunque la situación sea extraordinaria.

4 "¿Una filosofía de vida y muerte tiene lugar en el cine? Las películas no son arte, son para divertirte." Escribe en 100 palabras tu punto de vista. Da ejemplos de películas que has visto. Mira las ideas de la página 32 sobre cómo presentar opiniones.

5 La música

La música: espejo de la época

A 1 Baladas de los años treinta
2 Zarzuela – La del manojo de rosas
3 Charleston y ritmos bailables
4 Jazz
5 El último del Swing
6 Julio Iglesias – ídolo mundial
7 Los clásicos de Mozart

B 1 rock
2 grunge
3 garage
4 hip hop
5 rap
6 indie
7 salsa
8 pop electrónico

1 Escucha la discusión entre la abuela y la nieta y anota en qué orden se mencionan los tipos de música de las listas A y B.

2a Contesta a las preguntas de abajo.

1 ¿Qué tipo de música te gustaba a los 10 años y a los 14 años?

2 ¿Quién era el músico/artista preferido de tus padres cuando eran jóvenes?

3 ¿Qué cambios has visto en la escena musical durante tu vida?

Ejemplo: Cuando era niño/a sólo escuchábamos la radio. Hoy …

2b Discute con un(a) compañero/a luego escribe una lista de cinco cambios.

Frases clave

Hace diez años	Hoy en día
Actualmente	De niño/a
Cuando tenía X años	

5

La música – un arte popular

▸ *La música es la voz del pueblo que trasciende fronteras, clase, religión.*

1a A veces, la música se puede utilizar como arma de conciencia social. He aquí la primera parte de una canción protesta de David Bisbal. Escúchala y completa lo que falta.

Soldado de papel

Hay un lugar donde no hay sol,
(1) …….. sin marcha atrás
ni dirección (2) ……..
No, no han crecido y (3) ……..
no han vivido y (4) ……..
y su juego lo destruye el fuego
¡Son niños!
¿Quién puso en tus manos (5) …….. ?
¿Quién con tanta ira te lastima?
¿Cómo pudo la inocencia (6) …….. ?
¿Quién te habrá robado el mundo en un disparo?
¿Quién le puso (7) …….. ?
¿Cómo vive la conciencia con tanto dolor?
Dime (8) …….. , soldado de papel.

1b Lee y escucha de nuevo la canción de Bisbal. Explica en unas líneas sobre qué protesta.

2a ¿Conoces las canciones *Earth Song* de Michael Jackson, *Beautiful* de Christina Aguilera o *No son of mine* de Genesis? ¿Qué mensaje intenta comunicar cada una? ¿Sobre qué tema quieren concienciar a la gente? Discute con tu compañero/a.

2b Reflexiona sobre el panorama musical actual de tu país. ¿Conoces alguna canción reciente que toque algún tema profundo o de relevancia social más allá del amor de pareja? Comparte tu opinión con el resto de la clase.

Técnica

Intonation

In Spanish your voice should fall

● at the end of a short sentence. Toco la guitarra.

● at the end of a question with an interrogative.
  ¿Qué instrumento tocas?

It should rise:

● at the end of any other type of question:
  ¿Tienes una flauta?

● in the middle of longer sentences:
  Tú tienes una flauta y yo tengo una guitarra.

Sound linking

In Spanish, vowel sounds and consonants slide into each other, which helps to make the sentence flow.

When vowel sounds end and begin consecutive words they are linked together in speech. This is known as *sinalefa*.

Voy_ a_ ir a la_ alcaldía.

Final consonants are linked together with the vowels that follow. This is known as *entrelazamiento*.

Los_ otros niños_ están_ en_ el_ hotel.

Ⓐ Copy these sentences and indicate the *sinalefa* and *entrelazamiento*.

La música es eterna y alza el ánimo hasta la cumbre de la esperanza.

Los ángeles adornan el altar en lo alto de la iglesia.

Ⓑ S Listen to these verses from the poem *Martín Fierro* by José Hernández and try to imitate the pronunciation.

Soy gaucho y entiéndanló
Como mi lengua los esplica;
Para mí la tierra es chica
Y pudiera ser mayor.
Ni la víbora me pica
Ni quema mi frente el sol.

Nací como nace el peje,
En el fondo de la mar;
Naides me puede quitar
Aquello que Dios me dio;
Lo que al mundo truje yo
Del mundo lo he de llevar.

Mi gloria es vivir tan libre
Como el pájaro del cielo;
No hago nido en el suelo,
Ande hay tanto que sufrir;
Y naides me ha de seguir
Cuando yo remuento el vuelo.

3a Lee el artículo. ¿De qué se trata?

De Barquisimeto (Venezuela) a Raploch (Escocia)

La Orquesta Simón Bolívar de la Juventud de Venezuela fue un fenómeno casi único en el mundo de la música.

Fue fundada en 1975 por José Antonio Abreu, quien puso en marcha este proyecto para acercar la música a los niños de los barrios pobres y animarlos a luchar por un futuro mejor a través de la música. Desde sus orígenes, esta iniciativa ha salvado muchas vidas jóvenes destinadas de otro modo a la pobreza de las calles de Venezuela. Hoy en día, este proyecto, conocido como *El Sistema* (una fuente de orgullo nacional), comprende a más de 270.000 niños registrados en unas 220 orquestas por todo el país, aunque los ojos del mundo se enfocan hoy en un joven prodigioso: el director de orquesta Gustavo Dudamel.

Dudamel, originalmente del barrio desafortunado de Barquisimeto en Caracas, empezó su carrera musical tocando el violín. Su extraordinario talento, que rompe con el mito de que se necesita proceder de clase alta para tocar el violín, le ha llevado a liderar la Filarmónica de Los Ángeles.

Debido a su gran éxito, *El Sistema* ha transcendido incluso a la política y recibe un generoso apoyo económico del Gobierno. Asimismo, ha inspirado a 23 países a inaugurar similares programas musicales de educación, entre ellos uno en Raploch (Escocia), que intentan sacar a los niños de la calle y cambiar sus vidas a través de la música clásica. En la orquesta, los jóvenes aprenden a trabajar en equipo, son una comunidad y sus ambiciones y esfuerzos son premiados por la música que producen ellos mismos. ¡Ojalá que dé resultados en el mundo entero!

3b Contesta a las preguntas.

1 ¿Cuál era el objetivo de José Antonio Abreu?

2 ¿Quién es Gustavo Dudamel?

3 ¿Por qué es Dudamel representativo de este proyecto?

4 ¿Cómo sabemos que el programa ha sido un éxito? Menciona dos cosas.

5 ¿Qué tiene de positivo pertenecer a una orquesta?

6 ¿Qué esperanza de futuro expresa la escritora del artículo?

3c ¿Cuál es tu opinión sobre el proyecto? ¿Te gustaría formar parte de un proyecto parecido? Discute con un(a) compañero/a.

4a Lee el blog y anota:

● detalles biográficos

● su carácter

● su música

● otros detalles mencionados.

mi música.blog

¿Quién es tu ídolo musical?

Manu Chao por supuesto – de orígenes españolas puesto que su padre es gallego y su madre vasca de Bilbao aunque él nació en Paris. Me encanta porque es una persona comprometida – para mí es importante que una canción tenga mensaje. Sus ideas políticas le han ganado enemigos. Además canta en varios idiomas europeos y hasta en árabe. *Me llaman calle* es típica de su estilo – una fusión de balada con flamenco y mezcla de salsa con ska y punk rock.

4b Elige a un músico, ídolo tuyo. Escribe un texto similar.

Explica porqué es tu ídolo; lo que te gusta de su música y qué tipo de música representa.

5a Reflexiona sobre el lugar que ocupa la música en la vida de los jóvenes. Considera los diferentes aspectos del tema: conciertos, fama de los artistas, uso de MP3, etc. ¿Qué es…

● lo positivo?   ● lo mejor?

● lo importante?   ● lo interesante?

5b Ahora considera los aspectos contrarios.

5 De música y músicos

▸ *Hoy gozamos de una fusión increíble de ritmos y estilos en todas las formas musicales.*

1 🎧 Escucha la entrevista e indica las frases correctas, luego corrige las incorrectas.

1 El reportaje nombra a cinco cantantes colombianos.

2 Menciona seis clases de premios.

3 Celia Cruz fue invitada a una ceremonia especial.

4 Shakira es cantautora: escribe sus propias canciones.

5 Carlos Vives era guitarrista antes de comenzar a cantar.

Frases clave

Sea como sea	Digan lo que digan
Pase lo que pase	A mi modo de ver
Mi opinión es que	A mi parecer
Sin lugar a dudas	Es cierto que
Hay que reconocer que	

2a 🎧 Escucha el programa de radio y toma notas en español. Anota:

1 tres tipos de música que están de moda

2 dos tipos de música que están pasados de moda

3 una crítica importante

4 un comentario sobre la música regional

2b Usa las palabras de abajo y de la página 47 (Técnica) para escribir tus opiniones sobre la escena musical del momento en tu país.

3 ¿Qué palabras de abajo describen mejor estos estilos?

1 la salsa
2 el rock
3 el grunge
4 el indie
5 las baladas
6 el hip hop
7 metal

lírico	bailable	rápido	estrepitoso
agradable	rítmico	vital	

Gramática ➡161 ➡W23

Object pronouns – direct and indirect

- Direct object pronouns are used for the person or thing directly affected by the action of the verb. They replace a noun that is the object of the verb.

me	te	le/lo/la	nos	os	les/los/las

  Escucho música clásica muy a menudo, ¿y tú?

  Yo también la escucho, ¡pero no tanto como tú!

- Indirect object pronouns replace a noun (usually a person) that is linked to the verb by a preposition, usually *a* (to).

me	te	le	nos	os	les

  Enrique me dio su ipod viejo porque sus padres le regalaron uno nuevo.

  You also use them to refer to parts of the body.

  ¿No te duelen los oídos con el volumen tan alto?

- When there are several pronouns in the same sentence and they are linked to the same verb they go in this order:
  reflexive – indirect object – direct object

  ¿Quién te da clases de piano?

  Me las da mi madre.

- These pronouns go in front of the verb **but** when the verb is in the infinitive or present continuous form or is a positive command they are attached to the end of the verb.

  ¿Tienes mi ipod? Sí, voy a dártelo más tarde. No, dámelo ahora mismo.

  Note that an accent is needed.

- When two pronouns beginning with *l* (*le/lo/la/les/los/las*) come together then the indirect object pronoun changes to *se* (*se lo/se la/se los/se las*).

  ¿Y quién le da clases a tu hermano?

  También se las da mi madre.

Ⓐ Write sentences using these verbs, following the example.

Example: Siempre compro los últimos CDs.
Yo no, los descargo de Internet.

1 ver las emisiones de Minutos musicales en TV1// grabar un video.

2 escuchar la radio clásica por la tarde//por la noche.

3 practicar el piano después de clase//por la mañana.

4 tocar la batería en mi habitación//en el sótano.

4a  Pregunta y contesta como en el ejemplo.

A ¿Es tuyo el iPod?

B Sí. Me lo regalaron mis padres.

1 de Paco – los CDs/su padre

2 vuestros – las revistas/su hermana

3 de tus hermanos – la tele/mis padres

4b Pregunta y contesta como en el ejemplo.

A Tú, ¿qué le vas a regalar a Pepe para su cumpleaños?

B Un DVD de *Spiderman*.

A Iba a dárselo yo.

B No puedes. ¡Ya se lo he dado yo!

1 María – colección de discos

2 los niños – títeres

3 Juan – CDs

Dos voces de oro

Entre el tenor peruano Juan Diego Flórez y el cantante mexicano Luis Miguel hay un mundo de diferencia – ¿sí o no?

El uno cantaba toda clase de canciones, desde música criolla nacional hasta Elvis porque, según él, si la música tiene buena estructura, es buena, ya sea jazz, ópera o pop. A los 23 años debutó en el Festival de Rossini en Italia y desde entonces ha ido de triunfo en triunfo. Ha dado conciertos por todo el mundo, en la famosa La Scala de Milano y hasta cantó en Kew Gardens (Londres) para el concierto Salvar el Planeta.

El otro, aunque ha cambiado su estilo varias veces desde que debutara a los doce años, sigue ganando aficionados, ya sean de su música pop o de sus baladas latinas. Hasta la fecha ha vendido más de 52 millones de discos, es ganador de cinco Grammy y el primer latinoamericano en llenar el Madison Square Garden de Nueva York.

5a Lee el artículo y completa las frases con tus propias palabras.

1 El artículo compara …

2 A Juan Diego Flórez le gustaba …

3 Su verdadera carrera comenzó …

4 Sus conciertos incluyen …

5 Luis Miguel canta …

6 En su carrera ha …

7 Tiene fama …

5b Escoge a dos cantantes de diferentes estilos y compáralos.

El uno … el otro …

Por un lado … por el otro …

No sólo … sino también …

Técnica

How to approach speaking stimulus material

- You need to explain what the text is about, so examine the facts and respond to them in your own words. Avoid just reading from it.
- Note any opinions. Add some opinions of your own plus reasons why you agree/disagree.
- Be prepared to respond to any questions asked.
- Remember there are also marks for language, so don't be afraid to correct yourself if you think you have made a mistake.
- Watch out for material which is humorous or ironic.
  You will have plenty of time to read and prepare so make clear, systematic notes.

A Follow each of the bullet points above and prepare to respond to the cartoon and questions below.

B Practise in roleplay style with a partner, each taking turns to ask the questions and respond in Spanish.

¡Qué … qué ruido más estrepitoso!

- ¿De qué trata esta imagen?
- ¿Estás de acuerdo?
- ¿Qué clase de música prefieres? ¿Por qué?
- ¿Tienes el mismo gusto en música que tus padres?
- En tu opinión, ¿qué tipo de música se debe enseñar en el cole?

La expresión musical

▶ *Nuestras preferencias musicales definen nuestra persona.*

Joaquín Rodrigo, 1901–98

A la avanzada edad de 97 años murió Joaquín Rodrigo, compositor español de fama mundial.

Había nacido en Sagunto (Valencia) en 1901, lo que significa que vivió casi el siglo XX casi entero. De niño contrajo la difteria y se quedó ciego. Según él, esto fue lo que le llevó a la música. Estudió piano y violín en braille y a los 20 años ya daba conciertos. Ya había empezado a componer su propia música para orquesta cuando decidió irse a París donde otros compositores españoles, Granados y de Falla por ejemplo, ya estudiaban.

Allí se casó con una joven turca, Victoria Kamhi. También estudiante de música, ella colaboró en sus composiciones.

De regreso a España pasó hambre y vivió en la pobreza. El estreno en 1939 de su obra maestra Concierto de Aranjuez para guitarra y orquesta le salvó de la penuria. Le nombraron Director de Arte y Propaganda de la ONCE y obtuvo un puesto en el departamento de música de Radio Madrid.

Su música combina tanto lo popular – tradiciones folklóricas y flamencas – como lo clásico y barroco y expresa en notas y harmonías el paisaje español con sus monumentos e historia.

la difteria: *diptheria*

la ONCE (Organización Nacional de Ciegos): *National Institute for the Blind*

1a Lee el obituario y toma notas sobre los siguientes puntos:

1 dos datos significantes en la vida de Rodrigo

2 lo que le incitó a estudiar la música

3 la manera de estudiarla

4 lo que le salvó de la pobreza

5 el comentario sobre su música

1b Busca información sobre uno de estos compositores y presenta un resumen de su vida mencionando sus composiciones y estilos.

- Manuel de Falla
- Enrique Granados
- Alberto Ginastera

Gramática   ➡ 168 ➡ W45

Compound tenses using *haber* (2) – the pluperfect

- We use the pluperfect tense to indicate an action that had happened and was completed before another action took place in the past.
- It is formed in the same way as the perfect tense (see page 12) but with the imperfect tense of haber and then the past participle.

había escuchado	*habíamos escuchado*
habías escuchado	*habíais escuchado*
había escuchado	*habían escuchado*

- Revise the irregular past participles (see page 168).
- Remember that the two parts of the verb must never be separated by pronouns or negatives.

Ⓐ Reread the text about Rodrigo and pick out the examples of the pluperfect tense.

Ⓑ Translate these sentences into Spanish.

1 Before he became an opera singer Juan Diego Flórez had wanted to sing pop music, like the Beatles.

2 Luis Miguel had completed a tour of Latin America when he gave this concert in Malaga.

3 I hadn't heard of him before he appeared in New York.

2a  Escucha el programa sobre cantautores y sus canciones de protesta. Contesta a las preguntas.

1 ¿En qué época cantaban Joan Manuel Serrat y Joan Baez?

2 ¿En qué país nació Soledad Bravo?

3 ¿A quién hizo tributo en su primer album?

4 ¿Qué pasó con esta canción hace poco?

5 ¿Cuáles son los temas de las canciones de Ricardo Arjona?

6 ¿Qué nacionalidad tiene?

7 ¿Cómo se llama el cantante colombiano mencionado?

8 ¿Por qué crees que dicen que toca temas universales?

9 ¿Qué comentario hace sobre la música de sus canciones?

10 ¿En tu opinión, qué tipo de persona canta o escribe canciones de protesta?

Técnica

Speaking from notes

Learning a presentation from memory can make it sound stilted because you are concentrating on the words, not the meaning. It also means you have little flexibility when you get stuck or if the listener starts asking questions.

- You need to create a system of notes which concentrates on the points you want to make. These can be in the form of bold headings plus one or two key words or mind maps which help you focus on your ideas. Whichever way suits you its organization needs to be clear.

Structuring a presentation

- Make a list of key vocabulary, phrases and language structures – be realistic about which and how many you can use.
- Structure your presentation carefully: introduction, main points, then sum up.
- Link your phrases together with conjunctions: así que, no obstante, sin embargo, aunque, cuando.
- Practise and record yourself. Listen carefully to your voice and check your pronunciation.

A Convert the notes you made in task 1a opposite and give an oral presentation using headings only.

B Prepare your notes to make an oral presentation on the musician, singer or group you most admire and whose music you like most. How does your choice reflect you as a person? Record yourself giving this presentation and correct your pronunciation and intonation.

2b Pregunta a cinco compañeros/as. ¿Qué tipo de música prefieres?

Analiza la personalidad de cada uno/a. Escribe cinco frases para explicar cómo su gusto refleja su carácter.

Ejemplo: *La persona a quien le gusta el rock pop es una persona alegre, optimista, extrovertida en mi opinión.*

El flamenco

Para el extranjero, el flamenco es la música de España, pero sus raíces están en la región de Andalucía. En realidad se originó en la comunidad de los gitanos. En el flamenco, los ritmos apasionados del sur de España están mezclados con el cante, el baile y la guitarra.

El cante refleja sus orígenes en una minoría oprimida: Es un estilo dramático, poderoso, el grito de dolor de la raza gitana. En la música flamenca auténtica, la guitarra es un simple acompañamiento, y el baile, un elemento agregado para sacar dinero a los turistas.

Con su éxito se está perdiendo la autenticidad de sus raíces. Cuando un estilo se extiende más allá de su comunidad, ¿cobra vida nueva o empieza a morir? El baile flamenco se practica más en el extranjero que en España. El público internacional adora la guitarra pero no entiende la letra ni las tonalidades de las canciones.

Tal vez se puede comparar con los "blues", que dejaron hace mucho de ser la música de los esclavos, y han continuado evolucionando. Hoy se consideran patrimonio de toda la raza humana.

3a Lee el texto sobre El Flamenco y decide si las siguientes ideas se encuentran o no.

1 La "autenticidad" de la música depende de sus orígenes locales.

2 La explotación comercial de la música destruye su autenticidad.

3 La música puede evolucionar y extenderse nacional e internacionalmente.

4 El éxito comercial es inevitable y deseable.

5 La música flamenca no podría comercializarse fácilmente.

3b Busca frases en el texto que justifiquen tus respuestas.

3c Discusión en clase. ¿Cómo crees que el flamenco define la identidad gitana? Usa las ideas en 3a para ayudarte.

Recuerda ➡161

Pronouns (1)

- A **pronoun** is a word that can be used instead of a noun, an idea or even a whole phrase. It helps to avoid repetition.

  Remember that there are many kinds of pronouns such as personal, reflexive, indirect object and direct object. Generally all pronouns go immediately before the conjugated verb or as part of the same word after an infinitive, gerund or command form.

- **Subject** or **personal pronouns** are not often used in Spanish because the verb ending generally indicates the subject of the verb. You might use them for emphasis or to avoid ambiguity.

  Don't forget when referring to a group of people with one or more males in it you have to use the masculine plural form.

  Remember also that there are four ways of saying 'you' in Spanish. What are they?

- **Reflexive pronouns** refer back to the subject of the verb and are mostly used to form reflexive verbs. You don't often translate them except when they mean 'each other' or refer to self. For example:

  Se miraron el uno al otro. They looked at one another.

  Se miró en el espejo. He looked at himself in the mirror.

- **Direct object pronouns** replace the noun (either a person or a thing) that is the object of a verb.

  Te quiero mucho. Lo limpio a diario.

- **Indirect object pronouns** replace the noun (usually a person) that is linked to the verb by a preposition (usually *a* meaning 'to').

  Me da igual. It's all the same to me.

  Os di el dinero ayer.

  You also use them to refer to parts of the body.

  Me duelen los pies.

- When **two pronouns** beginning with the letter l come together then the indirect object pronoun changes to *se* (*se lo/se la/se los/se las*)

- When several pronouns all linked to the same verb occur in the sentence they go in this order: reflexive → indirect object → direct object. Think **RID**.

  This same order applies when the pronouns are joined to the end of an infinitive, imperative or present participle.

A Substitute the underlined parts of these sentences with an appropriate pronoun.

1 Personal: <u>Ana y Pedro</u> van al concierto.
2 Indirect Object: Prometí <u>a Pablo</u> que iría al concierto.
3 Direct Object: Tina tocó <u>la guitarra</u>.
4 Two pronouns together: Mi padre regaló <u>un violín</u> <u>a mi hermano</u>.
5 Two pronouns together: Mi hermano va a dar <u>una guitarra a su hermana</u>.

Recuerda ➡168

The pluperfect tense

This is a compound tense which has two parts: an auxiliary verb and a past participle.

The two parts must never be separated.

B Translate these sentences into Spanish.

1 Rodrigo had become blind before he started to learn music.
2 He had learned to play the drums long before he could walk!
3 She had given several concerts before people began to appreciate her style of jazz.
4 No one had heard of them until the late 70s.
5 He became famous at least twenty years after he had started a career as a singer.

Recuerda ➡164

Sequencing tenses

Having learnt how to recognise a mix of tenses it is now important to be able to produce them in your own writing. You could ask yourself:

- Did the action happen recently? Is it linked to what is happening now?
- Did the action happen over a long period of time in the past?
- Did the action happen repeatedly in the past?
- Did one action happen before another in the past?
- Is the action over and done with?

Vocabulario

La música: un arte popular
pages 54–55

el apoyo	*support*
el barrio	*area of town*
el enemigo	*enemy*
el éxito	*success*
la fuente	*fountain/beginnings*
la ira	*anger*
el mensaje	*message*
la mezcla	*mixture*
la pobreza	*poverty*
el orgullo	*pride*
el soldado	*soldier*
disparar	*to shoot*
inaugurar	*to inaugurate/start up*
lastimar	*to hurt/wound*
liderar	*to lead*
poner en marcha	*to start off*
premiar	*to reward/give a prize to*
salvar	*to save*
trabajar en equipo	*to work as a team*
trascender	*to transcend/go beyond*
prodigioso/a	*talented*

De música y musicos
pages 56–57

un aficionado/a	*fan*
una canción	*song*
un cantante	*singer*
una cantautora	*singer-songwriter*
una carrera	*career*
la estructura	*structure*
la fecha	*date*
un ganador	*winner*
el premio	*prize*
el triunfo	*triumph*
debutar	*to have a debut/begin*
gozar de	*to enjoy*
criollo/a	*creole*
estrepitoso/a	*strident*
digan lo que digan	*say what they will*
no solo … sino también	*not only … but also*
sea como sea	*be that as it may*
según	*according to*
sin lugar a dudas	*without a shadow of doubt*

La expresión musical
pages 58–59

el cante	*singing*
el compositor	*composer*
la edad	*age*
el estreno	*first performance/début*
el gitano	*gypsy*
el paisaje	*countryside*
la penuria	*poverty/hardship*
la raiz	*root*
casarse con	*to marry*
cobrar vida nueva	*to get a new lease of life*
componer	*to compose*
contraer	*to catch (a disease)*
pasar hambre	*to go hungry*
avanzado/a	*advanced*
ciego/a	*blind*
poderoso/a	*powerful*
casi	*almost*
de niño	*as a child*
de regreso	*on his return*

Rellena los espacios en las frases siguientes con la forma adecuada del verbo o de la palabra entre paréntesis.

1 Por tu culpa llegamos tarde y el concierto ya _____. (comenzarse)

2 Me fascina como las canciones de antaño _____ vida nueva con mi generación. (cobrar)

3 Shakira _____ famosa con su primer album *Pies Descalzos* a los dieciocho años. (hacerse)

4 Digan lo que digan todos quedamos _____ con la Orquestra Simón Bolívar. (impresionado)

5 Parece que los festivales _____ se están poniendo cada vez más a la moda. (veraniego)

marketingblog

Tendencias de la industria musical

Es todo un hecho. La industria musical se está echando a temblar al ver los nuevos comportamientos del consumidor. La <u>tecnología y las redes P2P han desarticulado la industria musical tradicional</u>. Es evidente que el sector debe reorientarse y adaptarse a las exigencias del consumidor. Y es que la música está viva y nunca antes se había consumido tanta.

La industria musical ha dado un vuelco. Hoy en día sigue habiendo un consumo masivo de música pero, al contrario de lo que ocurría anteriormente, los avances tecnológicos han propiciado que sea el consumidor el que decida. Las grandes compañías no supieron aprovechar su posición ventajosa para anticiparse a los cambios del sector y la eclosión de nuevos mercados como el del móvil.

Los datos son contundentes. En 2006, <u>el mercado físico cayó</u> un 25% (de 540 mil millones de dólares a 400 mil millones de dólares) no viéndose equilibrado por el crecimiento del 24% del mercado digital (que tan sólo movió 42 mil millones de dólares).

Después de analizar las nuevas tendencias de la industria musical, cabe comentar cuál es el comportamiento del fan de la música actual. Al fin y al cabo, todo proceso debe estar orientado a la satisfacción del cliente. Hoy en día, el fenómeno fan se rige por la interactividad. Y es que <u>el nuevo fan</u>, gran consumidor de música, <u>es hedonista</u>, complace sus deseos rápidamente, exige entrega y emotividad por parte del artista, comparte y quiere contar sus experiencias a través de Internet.

Si el perfil del consumidor se corresponde con los requisitos anteriores, ¿cómo es que la industria musical no trabaja para ellos? <u>Algunos ya han cambiado el chip</u>. Los artistas deben ofrecer algo más que unas horas de estudio y un CD caro. Deben entregarse en verdaderos shows en vivo, acudir a festivales veraniegos o fiestas en directo complementándolo con el cuidado de la comunicación con el fan. Y es que, en apenas 3 años, la asistencia a conciertos se ha doblado.

Hoy en día Prince regala su disco en el suplemento de un diario británico pero obtiene unos beneficios suplementarios con su línea de moda de merchandising o sus 21 conciertos programados en el O2 de Londres. <u>Todo un ejemplo de cambio de paradigma</u>.

www.elblogdemarketing.com, Technorati Media

1a Lee rápidamente el blog y busca:
- Vocabulario relacionado con la música
- Frases para introducir o vincular ideas

1b Lee el blog con más atención. Haz corresponder los principios de las frases (1–5) con la parte final (a–e).

1 El aumento en las ventas digitales
2 La música en vivo
3 Se ha transformado el mercado
4 El modelo de negocio tradicional
5 El público requiere

a que los artistas sean más receptivos.
b ha conocido un auge impresionante.
c está caducado.
d porque el comportamiento de los consumidores ha cambiado.
e fue anulado por las bajadas en el mercado tradicional.

Técnica

Transferring meaning – explaining in Spanish (1)
It is important to demonstrate the ability to transfer meaning in Spanish.
- Make sure you understand the main points made.
- Look for technical or metaphorical language.
- Look for dense sentences which sum up examples given elsewhere.
- Use everyday language to explain clearly.
- Use concrete examples mentioned in the text to spell out the situation.

Ⓐ Explain in Spanish, in your own words, the meaning of the underlined phrases.

2a 🎧 Escucha a estos comentarios sobre el blog. ¿Quién (A, B o C) dice que ...
1 no está de acuerdo?
2 la música no es una industria?
3 no quiere que le vendan música?
4 sí hay un futuro para la industria?

2b Escoge uno de los comentarios. Vuelve a escuchar y toma apuntes para poder explicar lo que está diciendo.

3 Escribe un ensayo de 200 palabras para dar tu propia respuesta a esta pregunta:
¿Piensas que siempre habrá grandes estrellas y grandes compañías en el mundo de la música?

6 La moda y tendencias

By the end of this unit you will be able to:

- Talk and write about how your 'look' defines who you are
- Comment on different ways we can alter our image
- Discuss lifestyles and leisure activities
- Talk and write about the cult of celebrity

- Use the subjunctive mood in past tenses
- Use the personal *a* correctly
- Use relative pronouns correctly
- Recognise and use time clauses
- Write in paragraphs
- Transfer meaning: explain in English

Bajo la lupa: analiza los "looks" del momento. ¿Qué famosillo suspenderá en la pasarela?

¡OK vs KO!

A ¡Perfecto! Las sandalias le quedan divinas con los pantalones. Además luce una sencilla moda chic tanto con su camiseta como con su peinado. Con su estilo casual lo consigue todo. ¡Bien hecho!

B ¡Ay Dios mío! ¡Fracaso total! Este chico ya no sabe qué hacer para dar la nota ... con esa cazadora parece el tablero del parchís ... solo faltan las fichas. No me hables del pelo y qué me dices de sus zapatos.

1a Lee los dos comentarios. ¿Cuál de los dos es positivo? ¿Cuál negativo? Anota las palabras y frases que dan la impresión negativa y positiva.

1b 🖼 Discute con un(a) compañero/a. ¿Cómo pueden cambiar su 'look'? Usa las frases de abajo.

Frases clave

A mi modo de ver …
Lo que más/menos me importa/entusiasma/choca …
Francamente …
Estoy de acuerdo con …
En cuanto a …

1c 🖼 ¿Cuál es el 'look' del momento que te gusta a ti? Descríbelo y explica por qué te gusta. Si no te gusta nada entonces explica por qué.

2 Contesta las preguntas. Escribe tus respuestas en español.

1 ¿Te preocupa tu imagen? ¿Por qué sí/no?
2 ¿Qué tienes en tu armario? Escribe una lista de tus prendas y complementos favoritos.
3 ¿Tienes un estilo definido? Descríbelo.

¿Quién soy yo?

▸ *¿Mi 'look' me define? ¿Cómo puedo cambiar mi imagen?*

1a  Escucha y anota de qué prenda o complemento hablan. Completa la ficha de los cuatro jóvenes.

piercings   tatuajes   pendientes
botas   vaqueros   camiseta
productos cosméticos
maquillaje   zapatillas

	La moda mencionada	Opinión
Ronaldo		
Lucía		
Ana Luisa		
Roberto		

1b ¿Quién dice?

1 No me gusta ser diferente.

2 Prefiero ser original.

3 Cultivo mi propio estilo.

4 La imagen lo dice todo.

5 Sigo a los demás.

6 Sentirme cómodo es lo más importante.

1c 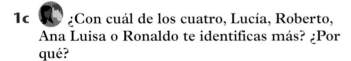 ¿Con cuál de los cuatro, Lucía, Roberto, Ana Luisa o Ronaldo te identificas más? ¿Por qué?

1d ¿Qué opinas de los tatuajes y piercings? Escribe una respuesta breve.

2 Lee el texto y discute lo que significa la frase en negrita. Da unos ejemplos y coméntalos.

¿Cuántas terapias hay que nos seducen con la promesa de una vida larga y activa; de un cuerpo ideal; de una cara sin pecas ni arrugas? La lista es interminable.
Hoy día nos quedamos pasmados ante el continuo bombardeo publicitario de terapias, cremas, suplementos, pastillas y ejercicios que **se han convertido en una nueva industria** y que hacen de nosotros, los seres humanos, blancos crédulos de la propaganda que nos rodea.

3a Lee el informe y anota las palabras en negrita. Si no sabes lo que significan búscalas en un diccionario.

Víctimas jovencitas

Una vez más al comenzar las semanas de **las pasarelas el debate**, sobre la talla cero ha resurgido. La pregunta este **otoño** no es el largo de **las faldas**, ni los pantalones de pata de **elefante** ni el **ombligo** afuera. No, la única pregunta que reina en las pasarelas es sobre el índice de masa corporal de los modelos – hombres o mujeres. Todos estamos calculando su **peso** en kilogramos, dividiéndolo por la altura en metros y temiendo el resultado por si acaso sale menos de 18.5 – **el número** indicado por la Organización Mundial de la Salud como el límite saludable. Cualquier **cifra** por debajo de 18 se considera como insalubre, irresponsable y **peligrosa**. Demos **aplausos** a Madrid por haber prohibido que los modelos demacrados caminen por la pasarela Cibeles. ¡Ojalá que otros en Londres y Milan sigan su ejemplo!

Hoy en día cuando los problemas de **la anorexia** y de la obesidad han alcanzado un nivel tan **alarmante** hubiera pensado que los organizadores de los shows responderían con gracias. Pero **al contrario**; muchos han rechazado por completo las preocupaciones expresadas y ni siquiera quieren debatirlo.

Además añadamos ahora el problema de la cirugía estética que permite a cualquier persona que tenga dinero, cambiarse por completo si quiere, la cara y el cuerpo.

3b Busca en el texto palabras similares a …

la discusión   reaparecido   la largura
establecido   menos de
delgadas   han llegado a

3c Lee el texto otra vez. Empareja las dos partes para hacer una frase completa.

1 Todos hablan del

2 Ya no discuten

3 Nos preocupa que

4 Madrid decidió

5 Se espera que

6 Hoy hay mucha inquietud

a establecer unas normas de tallas.

b por el problema del peso.

c otros centros sigan su ejemplo.

d problema de la talla cero.

e el estilo ni la moda.

f las chicas sean tan delgadas.

3d ¿Cuál es tu opinión? Escribe un párrafo breve explicando tus ideas.

Menciona: John-is-20

- la salud
- la dieta
- el ejemplo que da
- la (ir)responsabilidad de las autoridades

Gramática  ➡169 ➡W53

The subjunctive mood in past tenses

Remember that the subjunctive mood is widely used in Spanish. So far you have used it in sentences of wanting, requesting, advising and also to express value judgements. The uses of the subjunctive in the past are similar to its uses in the present.

The imperfect subjunctive

- To form the imperfect subjunctive take the 'they' form of the preterite:

-ar   *-er*   *-ir*
hablaron   *comieron*   *sintieron*

- Remove the *-ron* ending:

habla-   *comie-*   *sintie-*

- Add the following endings. There are two alternative sets.

ra/se   *ra/se*   *ra/se*
ras/ses   *ras/ses*   *ras/ses*
ra/se   *ra/se*   *ra/se*
áramos/ásemos   *éramos/ésemos*   *éramos/ésemos*

(note the accents which replace the unaccented *a* or *e*)

rais/seis   *rais/seis*   *rais/seis*
ran/sen   *ran/sen*   *ran/sen*

- Remember that all verbs with spelling changes or irregular forms in the third person plural preterite will have similar changes in the imperfect subjunctive, e.g. *sentir – sintieron*, so the imperfect subjunctive becomes *sintiera/sintiese* etc.

A Write these verbs out in the imperfect subjunctive, keeping to one set of endings (*-ra/-se*).

Example: estar: preterite form for 'they':
estuvieron – estuvie + -ra/-se = estuviera

1 poder   **2** hacer
3 vivir   **4** tener
5 ser

Sequencing of tenses:

- When the verb in the main clause is in the present or future tense or it's an imperative, use the present subjunctive in the subordinate clause.

*Mi padre me **pide** que no me **haga** un tatuaje.*
(main clause)   (subordinate clause)

- When the verb in the main clause is in the preterite, imperfect or conditional, use the imperfect subjunctive in the subordinate clause.

*Mi padre me **pidió** que no me **hiciera** un tatuaje.*
(main clause)   (subordinate clause)

Some uses of the imperfect subjunctive

- Use the imperfect subjunctive:

- in independent clauses to express a wish in the past tense:
Ojalá que pudiera cambiar mi imagen.

- in hypothetical clauses in the past:
Si fuera más delgada sería modelo.

B Translate the examples above into English.

C Analyse the verbs in the sentences below and say which are in the subjunctive, say what tense they are in and why the subjunctive is used.

1 Me alegra que vayamos de compras.
2 Os aconsejaría que no lo hicierais.
3 Era una lástima que pensara así.
4 Le sorprende que me haga modelo.
5 Me chocó que fuera tan delgada.

4a Discute el tema en clase.

"Una imagen vale más que mil palabras".

¿Cómo se refleja esta afirmación en el comportamiento de la gente hoy en día?

4b Escribe un ensayo de unas 100 a 150 palabras.

Considera:

- la influencia de tus amigos
- la influencia de los medios
- el buen o mal ejemplo ofrecido por los "famosos"
- lo difícil que es ir en contra de la corriente popular.

6 Mi modo de ser

> ¿Cada cual tiene su estilo de vida y manera de pasar el ocio pero cuánto influyen la moda y las tendencias actuales?

1a Estas afirmaciones son representativas de los jóvenes españoles de 15 a 25 años. ¿Qué se les preguntó en el sondeo? Prepara las seis preguntas.

1 Tienen entre 28 y 35 horas de ocio a la semana.

2 Las cinco actividades de tiempo libre más frecuentes son escuchar música, salir con los amigos, ir al cine, hacer deporte e ir de excursión.

3 El 75% de los jóvenes sale habitualmente los fines de semana y el 30% de los jóvenes no regresa hasta después de las 6 de la mañana. Un 60% regresa entre las 3 y las 6.

4 Ven la tele 14 horas a la semana y prefieren las películas, las series y los programas de deportes.

5 Leen una media de 5 ó 6 libros al año.

6 Sólo el 40% tiene una consola de videojuegos pero el 95% tiene teléfono móvil y el 75% tiene ordenador en casa.

1b Utiliza las preguntas del ejercicio 1a y entrevista a un(a) compañero/a. ¿Hay muchas diferencias con las respuestas de los jóvenes españoles?

2 Estas son las actividades más frecuentes que los jóvenes españoles realizan cuando salen por la noche los fines de semana. Ordénalas de la más popular a la menos popular, según tu opinión.

A Ir a bailar
B Ir al cine
C Pasear
D Ir a bares o cafeterías
E Ir a conciertos
F Practicar algún deporte
G Ir a casa de algún amigo
H Ir de "botellón"
I Ir a un restaurante

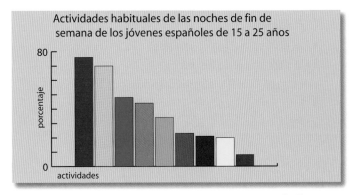

Actividades habituales de las noches de fin de semana de los jóvenes españoles de 15 a 25 años

Actividades según su popularidad de más popular a menos popular: D, A, G, B, H, I, E, C, F.

Gramática ➡160 ➡W20

The personal *a*

Because the order of the subject and verb can be inverted in Spanish, the personal *a* is used when a person is the object of the verb to avoid any confusion.

Los chicos felicitaron a sus amigos por la ropa ultramoderna que se habían comprado.

Felicitaron los chicos a sus amigos por la ropa ultramoderna que se habían comprado.

Felicitaron a sus amigos los chicos por la ropa ultramoderna que se habían comprado.

Ⓐ Make complete sentences, using the personal *a* when required.

Vi | la víctima de la dieta que la dejó demacrada.
| mi nuevo tatuaje a mi familia
| mis amigos con su ropa nueva.
| el último CD de fusión rockpop.

Escuché ¿a? la nueva moda de botas largas.

Presenté mi grupo favorito en concierto.

Nota cultural: El fenómeno del botellón consiste en que los jóvenes adquieren alcohol en los supermercados o gasolineras y se reúnen a beber en las calles y parques.

3a Lee los textos.

1 Felipe

Me encanta la vida que llevo ahora. Hace años no tenía entusiasmo para nada porque era el más alto del curso y todos me tomaban el pelo por mi altura. Bueno hace poco el profe de deporte me invitó a participar en un partido de baloncesto y en cuanto pisé la cancha, supe que eso iba a ser mi salvación. Ahora soy otra persona, sigo a mi ídolo Pau Gasol y llevo ropa deportiva de última moda. Los más jóvenes me admiran y esto me da mucha confianza. Comparado con lo que era antes, he podido cambiar mi vida totalmente.

2 Sebastián

Por seguir a mis amigos me acabo de afiliar a una banda de chicos. Al salir del cole, a los dieciséis años, no tenía nada. Había suspendido todos los exámenes y mis padres me presionaban para que fuera a buscar un empleo pero ¿adónde? – si no hay nada para nosotros los jóvenes sin estudios. Me paso el día, en la calle con mi "familia" los otros chicos de la banda; andamos por el barrio en bicicleta o monopatín. Todos vestimos la misma ropa holgada hablamos argot y nos saludamos con apretones de mano especiales.

3 Victoria

Casi toda mi vida he vibido con una rutina diaria muy estricta. Mis padres son profesores, del colegio del barrio y por eso me tienen atada a una disciplina exagerada. No tengo un minuto para relajarme y disfrutar de la vida como cualquier adolescente normal. Hasta mi madre me acompaña a las tiendas e insiste en que compre su estilo de ropa. Cuando tenga edad para irme de casa compraré ropa ultramoderna y seré una 'fashionista' tremenda como todas mis amigas.

4 Agata

La única cosa que me importa en este momento de mi vida es cultivar mi imagen y ser actriz de cine. No sé cómo pero voy a realizar este sueño me cueste lo que me cueste. Llevo años comprando ropa en tiendas de segunda mano porque nunca tengo suficiente dinero y a veces, hasta encuentras prendas muy interesantes. Me encanta la ropa antigua porque siento su historia y me fascina parecerme a personajes históricos. Detesto las tendencias modernas en diseño de ropa. Soy socia del club de drama desde hace años y sé que tengo talento. Voy a continuar con mis estudios y al mismo tiempo voy a pasar mi tiempo libre cultivando mi talento.

3b Decide quién es: Agata, Victoria, Sebastián o Felipe.

1 Está determinado/a a tener éxito en su vida.
2 Antes no consideraba que su vida valiera la pena.
3 Lleva una vida bastante organizada.
4 No tiene mucho dinero pero no se preocupa.
5 Tiene una visión bastante negativa de sus prospectos en la vida.
6 Espera que su manera de vivir hasta ahora cambie en el futuro.
7 Ha logrado cambiar su estilo de vida en poco tiempo.
8 Le gustaría tener un poco más de ocio y tiempo libre.
9 Se siente víctima de sus circunstancias en la vida.
10 Parece ser una persona muy determinada.

3c ¿Con cuál de los cuatro te identificas más y con cuál menos? ¿Por qué?

Gramática

 ➡ 172 ➡ W67

Time clauses

- In Spanish there are expressions where you use the present tense when in English you use the perfect:

  How long have you had that tattoo?

  ¿Cuánto tiempo hace que tienes ese tatuaje?

  I have just had it done last week.

  Acabo de hacérmelo la semana pasada.

- There are expressions where you use the imperfect in Spanish when in English you use the pluperfect:

  He had belonged to the gang for a year.

  Hacía un año que pertenecía a la banda.

  He had just joined the gang.

  Acababa de incorporarse a la banda.

- Other expressions of time:

  I have been a punk for two years.

  Llevo dos años como punkie.

  I have been a fan of Zara ever since it opened.

  Soy fanático de Zara desde que abrió.

Ⓐ Read the texts again and find five examples of time clauses.

Ⓑ Translate these sentences into Spanish.

1 I have just joined a gym to try and lose some weight.
2 I have not been interested in fashion for years.
3 My lifestyle had followed the same routine when it suddenly changed.

La feria de las vanidades

▶ *¿Qué significa hoy ser famoso?*

¿FAMOSOS O FAMOSILLOS?

Parece que cada día emergen más famosos y atrás quedó la época en la que sólo unos cuantos llegaban a la fama. En mi infancia, las celebridades eran presidentes, mártires, miembros de la familia real, futbolistas muy dotados y artistas que habían conseguido la fama con sangre, sudor y lágrimas y mucho talento en su terreno profesional. Por desgracia, hoy en día cualquier Don Nadie se hace famoso, o mejor dicho "famosillo", a través de los sumamente criticados reality shows que resultan en más y más celebridades menos conocidas y de dudoso talento y porvenir. He aquí los culpables: Supervivientes, Gran hermano, La isla de los famosos, La casa de tu vida, Operación Triunfo además de todos los demás realities que ahora no recuerdo.

Rubén, 28 años

1a Lee el párrafo y contesta a las preguntas.

1 ¿Cuál es tu opinión sobre el culto a la celebridad?
2 ¿Cuáles son las claves de este fenómeno sociológico – históricas y psicológicas?
3 ¿Por qué la fama – esta vieja pero actualísima obsesión humana – nos atrae?
4 ¿Quiénes eran los famosos en otros siglos?
5 ¿Cuál es el lado oscuro de la fama?
6 ¿Tiene la fama un lado positivo?

Frases clave

Me parece que …	Odio que …
Me sorprende que …	Es escandaloso que …
Me alegra que …	Es una lástima que …
Me desagrada que …	
	+ subjuntivo

1b 🔴 Haz una lista de cinco famosos actuales en tu país. Discute con un(a) compañero/a.

1 ¿Por qué son famosos? Ponedlos en categorías según la razón de su fama.
2 ¿Son famosos o *famosillos*?
3 ¿Cómo influyen en el desarrollo personal y emocional de los jóvenes?
4 ¿Todavía serán famosos dentro de diez años?

2a En tu opinión, ¿por qué los jóvenes tratan de imitar a las personas famosas?

2b 🎧 Escucha las respuestas de estos seis amigos a la pregunta de 2a. ¿Quién menciona o sugiere … ?

1 la falta de autoestima
2 la búsqueda de aceptación social
3 el carácter fuerte de la juventud
4 la falta de personalidad
5 la falta de mérito
6 lo positivo de la cultura de los famosos

Técnica

Write in paragraphs

To write a paragraph use the following structure:
1 Introduction
2 Main text:
   a presentation of the situation
   b explanation/information
   c arguments
   d evidence to support your arguments

A Can you identify the different structural points in the paragraph *¿Famosos o famosillos?*?

For a longer piece of writing, you need to make sure that each paragraph makes clear its relation to what has gone before:
1 Continuing or adding an idea
2 Qualifying an idea
3 Contrasting or denying

B Which category do these phrases fit into?

A pesar de …	Al mismo tiempo …
El mejor ejemplo sería …	Más importante aun es …
Quizás la verdad es más compleja …	Además …
	Claro …, pero …

Gramática ➡ 162 ➡ W26

Relative pronouns

- These pronouns are used to join two sentences into a single sentence. In the new sentence the relative pronoun refers to a noun in the first half.

David Bisbal está muy bueno.

David Bisbal está de concierto en Madrid este fin de semana.

David Bisbal, que está de concierto en Madrid este fin de semana, está muy bueno.

que	that/who/which
el que/la que	the one who/which
los que/las que	those who/which
lo que	that which/what, whatever
el cual/la cual	the one who/which
los cuales/las cuales	those who/which
quien	who/whom
cuyo/cuya/cuyos/cuyas	whose

A Make a single sentence from each pair.

1 Buenafuente es un presentador de televisión muy popular. Buenafuente ha escrito nueve libros.

2 El nuevo Gran hermano parece muy extravagante. El nuevo Gran hermano empieza hoy.

3 La cantante Chenoa lanzó su primer álbum en 2002 después de su éxito en OT. Chenoa es de nacionalidad argentina.

4 La fama de David Bustamante ha resultado en una carrera musical de mucho éxito. La fama de David Bustamante se debe a su paso por OT1.

3a Pon los párrafos del reportaje sobre David Bisbal en orden para que este tenga una secuencia lógica.

3b Piensa en un título breve para cada párrafo.

3c Identifica los pronombres relativos en el texto. ¿Qué sustituyen en cada caso?

4 "Los famosos tienen la responsabilidad social de llevar una vida ejemplar." ¿Estás de acuerdo? Expresa tu punto de vista en una redacción de un mínimo de 200 palabras.

De OT a los derechos humanos

1 A pesar de que David Bisbal no fue el elegido para cantar en Eurovisión, sus esfuerzos en la academia fueron recompensados con un contrato para publicar su primer álbum, "Corazón Latino", que fue su debut discográfico en solitario en 2002. Desde entonces, Bisbal, cuya fama le precede, ha grabado otros dos álbumes llamados "Bulería" y "Premonición" y entre otros reconocimientos ha logrado treinta discos de platino y quince de oro.

2 Claro que es cierto que algunos famosos que emergen de los reality shows no merecen la fama que se les otorga, pero David Bisbal es un joven con mucho talento, capaz de hechizar al público femenino con su encanto, su energía, su voz y el ritmo de sus caderas.

3 Nacido en Almería el doce de junio de 1979, David Bisbal se ha convertido en un nombre muy conocido en el territorio hispánico. Su fama se remonta a la primera edición de Operación Triunfo, conocida como OT, que fue uno de los primeros reality shows de la televisión española. En OT se eligieron dieciséis jóvenes para ingresar en una academia de canto y actuar para el público, el cual elegiría a tres finalistas y después a un ganador para representar a España en el Festival de Eurovisión.

4 En "Premonición", Bisbal nos sorprende con un conmovedor tema llamado "Soldados de Papel", cuya meta es denunciar el uso de niños en conflictos armados y concienciar de la gravísima violación que esto supone para los derechos humanos y de la infancia. En el video clip, el artista se corta sus emblemáticos rizos a golpe de cuchillo, como un gesto simbólico.

Gramática en acción

The subjunctive mood in past tenses

- Using the subjunctive mood correctly can be a challenge at the best of times but remember that native speakers use it all the time.

- Remember that the imperfect subjunctive is used in the same type of situations in which the present subjunctive is used, except that the governing verb is typically in a past tense or conditional.

- To form the imperfect subjunctive of a verb we take the 'they' form of the preterite, remove the ending -*ron* and add the following endings:

  -*ar* verbs: either

  -*ra, -ras, -ra, -áramos, -rais, -ran* or

  -*se, -ses, -se, -ásemos, -seis, -sen*

  -*er* and -*ir* verbs: either

  -*ra, -ras, -ra, -éramos, -rais, -ran* or

  -*se, -ses, -se, -ésemos, -seis, -sen*

A Copy these sentences and fill in the gaps with the correct form of the imperfect subjunctive of the appropriate verb.

> **tener   poner   regalar**
> **seguir   ver   hacer**

1 Mi madre me pidió que no …… esa falda tan corta.

2 Yo esperaba que ella no …… mis piercings nuevos.

3 Mi padre prohibió que …… un tatuaje.

4 Quería que mis amigas me …… un bolso que esté de moda.

5 ¡Ojalá no …… esa moda de punkie feo!

6 Mi madre me trata como si todavía …… ocho años.

B Translate the sentences into English.

C Put the sentences in activity A in a logical order and use them to write a paragraph. Replace the objects where necessary and use connectives to ensure your paragraph makes sense.

Example: La semana pasada fue mi cumpleaños …

D Translate the paragraph below. Be careful with the tenses of the verbs!

> Caroline had long, blond, curly hair. She went to the hair salon and told her hairdresser to cut her hair. Emilio, the hairdresser, suggested she change the colour of her hair. Caroline had always wanted her hair to be different. She had always wanted to look like Victoria Beckham. She decided that she wanted to have short, dark, straight hair. Four hours after she entered the hairdresser's, she left a different woman.

E Describe your ideal lifestyle and leisure activities. How would they be influenced by the latest fashion and trends? Use the imperfect subjunctive. Consider these topics.

- moda • tendencias • ropa • pelo • ocio
- aspecto físico • empleo • ingresos • familia

The personal *a*

This is used before a direct object that refers to a specific person or persons. Remember that *a* followed by *el* will result in the contraction *al*. Revise page 66.

F Identify the sentences which require *a* before the direct object.

1 Yo buscaba una revista de moda.

2 Encontré los chicos fumando en el patio.

3 Paquito conoció su novia hace tres semanas.

4 ¿No comprendes el problema todavía?

5 El club busca miembros nuevos.

6 ¿Quién llamó la modelo?

7 La banda tiene seis chicos extranjeros.

8 Me gustaría conocer tu familia.

Vocabulario

las arrugas	*wrinkles*
el blanco	*target*
los caprichos	*whims/fancies*
una cifra	*number*
la cirujía	*surgery*
las normas	*rules/regulations*
el ombligo	*bellybutton*
la pasarela	*catwalk*
las pastillas	*tablets*
las pecas	*freckles*
la promesa	*promise*
la talla	*size*
envejecer	*to grow old*
fomentar	*to promote*
restringir	*to restrict*
rodear	*to surround*
seducir	*to seduce*
pasmado/a	*overwhelmed*

la altura	*height*
un apretón de manos	*handshake*
el argot	*slang*
las bandas	*gangs*
el barrio	*district*
la cancha	*court*
el diseño	*design*
el estilo	*style*
una media de	*an average of*
el monopatín	*skateboard*
el mundo	*world*
el ocio	*leisure*
un partido	*game/match*
la salud	*health*
el sondeo	*survey*
afiliarse a	*to belong to*
fracasar	*to fail*
pisar	*to tread*
regresar	*to return home*
rondar	*to prowl around*
tomar el pelo	*to tease*
holgado/a	*loose hanging*
parado	*out of work/on the dole*
habitualmente	*normally/usually*
cueste lo que cueste	*whatever it costs*
'fashionista'	*'slave to fashion'*

el autoestima	*self-esteem*
la búsqueda	*search*
las caderas	*hips*
el corazón	*heart*
la corriente	*current*
la época	*epoch/age*
el esfuerzo	*efforts*
las lágrimas	*tears*
la meta	*aim/goal*
el porvenir	*future*
los rizos	*curls/ringlets*
la sangre	*blood*
el sudor	*sweat*
emerger	*to emerge*
hechizar	*to cast a spell on*
lograr	*to achieve*
merecer	*to deserve*
otorgar	*to credit/grant*
dotados	*highly skilled*
a pesar de	*in spite of*
Don Nadie	*Mr Nobody*
lo odio	*I hate it*
unos cuantos	*a few*

Rellena los espacios en las frases siguientes con la forma adecuada del verbo o de la palabra entre paréntesis.

1 Lo que más me sorprendió fue cuántas terapias nuevas _____ de moda. (ponerse)
2 Mis padres me prohibieron que _____ ni tatuajes ni piercings. (hacer)
3 Desde niña _____ ser estrella de cine famosa. (querer)
4 David Bisbal _____ voz me encanta, tuvo éxito con Operación Triunfo. (cuyo)
5 Los jóvenes a _____ les hace falta autoestima suelen buscar consuelo entre una banda. (el cual)

Tradición contra novedad

▷ *¿Cuáles son los deportes que se practican típicamente en España?*
▷ *¿Cuáles son inventos recientes?*

1a ¿Puedes identificar los siguientes deportes españoles?

1
> Es un deporte que se inventó para aumentar el número de espectadores en un partido de fútbol local. Se juega como el fútbol, con la diferencia de que al final de cada temporada, se introduce un toro en el campo. El portero tiene que proteger su meta contra el balón y contra el toro. Si se marca un gol mientras el toro está en el campo, cuenta por dos.

2
> Se practica principalmente en el País Vasco. Se necesita mucha fuerza y destreza. Las competiciones se organizan como parte de los juegos vascos, símbolo de la identidad regional. Se reconocen varias categorías de piedra: cilíndrica, cúbica, esférica y rectangular, todas ellas de granito que se labra en formas y pesos diferentes. Se puede ganar de dos formas diferentes: si se realiza el mayor número de alzadas, o si se alzan más kilos.

3
> Se originó en el País Vasco, pero ahora es también muy popular en México y Estados Unidos. Se juega contra un frontón, con dos o cuatro jugadores. Se ha declarado el juego más rápido del mundo. En lugar de una raqueta se utilizaba la mano, pero hoy los jugadores tienen una cesta para lanzar la pelota.

| levantamiento de piedras |
| tórobul   jai alai |

1b ¿Cuáles de los tres deportes tienen estas características?

1 Se juegan con un objeto redondo.
2 Se puede marcar un gol.
3 Se necesitan reacciones rápidas.
4 Se originaron en el País Vasco.
5 Se lanza una pelota.
6 No se ha vuelto muy popular.

2a 🔊 Escucha e identifica estos tres deportes modernos.

2b 🔊 Escucha otra vez. Anota cómo se dicen estas palabras en español.

team	goal	small ball
inside	outside	racquet
large ball	track	win points
steps	competition	net
score	race	

Gramática ➡171 ➡W62

Avoiding the passive when asking questions

Remember that it is more common to avoid using the passive in Spanish by using *se* (see page 34).

- Listen to the question so you can decide how your answer should be constructed.
- In the question 'What equipment do you play it with?'
a You don't need to translate 'do'.
b You cannot end the question in 'with'. Change the word order so that you end up with 'With what equipment does it play itself/is it played?':
¿Con qué material se juega?

Ⓐ Now make up questions using the following:
1 jugar en/lugar
2 jugar sobre/superficie
3 jugar/equipo

3a  Lee el texto sobre el nuevo fenómeno del kitesurf. ¿Cómo se dice …?

1 more and more sensational
2 have already been invented
3 kite flying
4 fashionable sport
5 it's not surprising
6 it has become so popular

El kitesurf

Hoy en día la gente no se conforma con lo tradicional y busca inventar deportes cada vez más impresionantes y arriesgados. Ya se han inventado varias combinaciones de deportes tales como el *parkour* (correr y saltar) o la lucha en jaula (lucha libre, boxeo y artes marciales) y me imagino que siempre se seguirán inventando nuevos deportes.

Primero, fue el windsurf, una mezcla de vela y surf. Y ahora es el kitesurf, el vuelo de cometa combinado con el surf. En pocos años se ha convertido en el deporte de moda en Tarifa, centro europeo del surf en la punta occidental de España. Cuando hace buen viento no es sorprendente ver por lo menos 250 cometas multicolores volando sobre el mar o descansando en la playa; ¡un espectáculo fenomenal y pintoresco!

Se ha vuelto muy popular porque aunque parece bastante fácil, no lo es. Los saltos en el aire y los trucos son vistosos y llaman la atención a gente de todas las edades, jóvenes y mayores. Para practicarlo hay que estar en forma y no tener problemas de espalda, de hombros ni de cuello y ser muy constante. El secreto es combinar la habilidad de volar una cometa con la de mantenerse en la tabla de surf. Es un reto que vale la pena porque la sensación al final es algo fuera de este mundo.

3b Combina las dos partes para hacer una frase completa.

1 El kitesurf es
2 Tarifa se ha vuelto
3 Es un deporte
4 Hay que combinar

a que parece fácil.
b un deporte nuevo y entretenido.
c varias habilidades deportivas.
d un centro deportivo de moda.

3c Escoge un deporte tradicional y otro novedoso (por ejemplo, el patinaje y el skateboard) y escribe un texto parecido.

3d Prepara una presentación oral sobre uno de los deportes que has escogido en 3c y preséntasela a un(a) compañero/a sin decirle el nombre. A ver si puede adivinar el deporte de tu descripción.

Gramática ➡167 ➡W48

Talking about the future

Revise the formation and uses of the future and conditional tenses.

A Complete these definitions:

The immediate future expresses …

The future expresses …

The conditional expresses …

- Both the future and the conditional can be used to express supposition:

  ¿Qué hora es? Pues, no sé, serán las dos.

  ¿Cuántos años tenía el niño? No sé. Tendría cinco o seis.

- You must use the subjunctive after *cuando* (and similar time words) when referring to the future or hypothetical notions. Revise the formation of the subjunctive on page 24.

  Cuando llegues, iremos al estadio en seguida.

- The future in English can be expressed by a present tense in Spanish when asking questions in the first person.

  ¿Vamos al estadio? Shall we go to the stadium?

  ¿Te compro una entrada? Shall I buy you a ticket?

B Complete this text to talk about the future, using the verbs below.

Cuando …… 50 años …… al gimnasio todos los días y …… bastante ejercicio porque …… mantenerme en forma. …… en el campo y …… de paseo con el perro y cuando …… a casa no …… delante de la tele. Sin la tele …… tiempo de hacer crucigramas y tal vez …… novelas. ¡Tengo la intención de entrenar el cerebro tanto como el cuerpo!

descansaré haré iré leería me gustaría
saldré tendría tenga viviré vuelva

C Invent a sport of the future. What will it be called? How will it be played? What equipment will be needed?

¡Participemos en el deporte!

> ¿Lo hacemos para competir, ganar fama y dinero o por el puro gusto personal de mantenernos en forma?

1a Lee el artículo sobre Óscar Pistorius. Abajo hay el texto de una entrevista con él; empareja las preguntas con las respuestas.

1b  Practica la entrevista con un(a) compañero/a.

2 Lee el artículo y contesta a las preguntas.

1 ¿Qué dice sobre el estado actual del deporte en el mundo hispano?
2 ¿Por qué crees que dice que tiene un impacto enorme?
3 ¿Qué comenta acerca de los deportistas "buenos"?
4 ¿Qué conclusión saca sobre los "malos"?
5 ¿Tú, qué opinas de los deportistas que optan por "el camino demasiado corto"?

Bladerunner Pistorius

El corredor más rápido sin piernas.

Óscar Pistorius, a pesar de su discapacidad, hoy por hoy tiene el récord mundial de los 100m, 200m y 400m en los Paralímpicos. Ahora quiere competir con los deportistas olímpicos pero la IAAF prohibe que se usen equipos que les puedan dar ventaja. Ahí está el problema porque él insiste en que sus piernas no son biónicas, no le dan energía. "Si pensara que tengo una ventaja injusta dejaría de correr porque quiero competir de una manera justa y no al contrario."

1 ¿Cómo ha empezado tu interés?
2 ¿Qué otro deporte habías hecho de pequeño?
3 ¿Qué hubieras hecho de no haber sido corredor?
4 ¿Qué has estado haciendo durante el verano?
5 ¿Te sorprendió que te hubieran prohibido correr?
6 ¿Crees que tu caso ha provocado admiración?
7 ¿Crees que habrás llegado a campeón antes del fin de año?
8 ¿Crees que te habrían llamado para el partido nacional?

a Claro, me ha causado mucha sorpresa porque quiero competir contra atletas olímpicos.
b Me hubiera gustado representar a mi país sin lugar a dudas.
c Todo empezó porque nací sin fíbula en la pierna y no quería quedarme en silla de ruedas.
d Por supuesto he pasado mucho tiempo compitiendo en carreras.
e Es imposible de saber, pero siempre tengo la esperanza de que ganaré algo.
f Como muchos otros chicos había jugado al fútbol.
g No creo que la gente me haya admirado solamente por esto; quiero que me reconozcan como atleta nada más.
h Hubiera jugado al polo acuático o al tenis, ¿quién sabe?

El deporte y las tres Ds

Hoy el mundo hispano se jacta de tener deportistas de todas las disciplinas y de fama mundial. Desde luego tienen un impacto enorme sobre todo para los jóvenes. Todos quieren ser el próximo Cesc, Rafa o Dani.

Todos quieren ganar no solamente la fama sino también el dinero. Y ahí está el problema del deporte de hoy. El consenso es que los deportistas ganan demasiado – tanto fama como dinero.

Afortunadamente se puede citar mil ejemplos más de deportistas "buenos" que de "malos". Por eso debemos preguntarnos qué es lo que hace falta para ser un buen deportista. Sin lugar a dudas necesitan dedicación, disciplina y determinación; las tres Ds. Igualmente se necesita talento natural; y el apoyo de la familia y un poco de suerte también ayudan.

Sin embargo el poder del dinero o la fama es alucinante y cuando se tambalea una de las tres Ds, o falta el apoyo necesario y comienza a decaer el talento natural, es cuando comienza el decenso en espiral. Sólo hay que citar el caso de Maradona para darse cuenta de lo triste pero verdadero del asunto. Añadamos a este caso famoso el de los ciclistas o de los atletas que quieren correr cada vez más rápido y tenemos una lista triste de los que quieren alcanzar la cima deseada por un camino demasiado corto – dopándose.

3a Escucha la discusión sobre los Juegos Olímpicos. ¿En qué orden se expresan estos puntos de vista? Lee la lista antes de escuchar el debate.

A Es una parte esencial del deporte.

B Lo que más me preocupa es que cuesta demasiado.

C Les demuestra que hay que hacer un esfuerzo en la vida.

D Es buena idea por la herencia que deja.

E Creo que el coste va a aumentar.

F A veces construyen edificios pocos prácticos.

G Nos provee con un espectáculo fenomenal.

H Anima a los jóvenes a participar.

I Además todos podremos usar las instalaciones en el futuro.

J Sería mejor construir hospitales y colegios.

K Los atletas necesitan los campeonatos.

L Vamos a heredar unos edificios bonitos.

3b Decide si cada punto de vista (A–L) está a favor o en contra de hospedar los Juegos Olímpicos.

3c ¿Puedes añadir otras ideas propias?

3d Responde a los puntos de vista.

3e Habla con un(a) compañero/a.
¿Para qué sirven las competiciones nacionales e internacionales?
Usa las frases de la sección Técnica.

Técnica

Debating or discussing; structuring an argument
- *Torbellino de ideas* – list your ideas and for now accept all of them.
- Organize your ideas into 'for' and 'against' or advantages/disadvantages.
- Introduce the topic:
  Trata de …/de algo …
  Es un tema intrigante
  En cuanto a …
- Give your own opinion:
  (No) estoy de acuerdo contigo
  En mi opinión/A mi modo de ver
  Estoy completamente en contra/a favor de …
  Creo que/Me parece que …
  Lo/le/la considero/encuentro …
  Lo que más/menos me (dis)gusta/me entusiasma …
- Balance out ideas:
  Por una parte … por otra …
  X …, sin embargo Y …
  Al mismo tiempo
  Al contrario
  Primero … luego … entonces …
  Mientras que
  No obstante
- Sum up the discussion:
  En conclusión
  Finalmente
  A fin de cuentas
  Por último

A Use the suggestions and phrases above and prepare to discuss and debate in Spanish the following questions.
- ¿Por qué participamos en el deporte?
- ¿Es para ganar fama y dinero?
- ¿Es para seguir el impulso de competir?
- ¿Es por nuestro deseo personal de sentirse bien y en forma?

7

Mente sana, cuerpo sano

▶ *Es esencial encontrar un equilibrio entre el bienestar físico y mental.*

1 Lee el texto. ¿Qué es baloncesto SR?

2a Busca las respuestas a estas preguntas de la entrevistadora.

1 ¿Cómo os fue en la liga este año?
2 ¿En qué es diferente al baloncesto estándar?
3 ¿Te decepcionaste con los resultados?
4 ¿A qué altura está el aro?
5 ¿Dónde empezaste a jugar?
6 ¿Por qué no te gustaría jugar en la segunda liga?
7 ¿Quieres seguir seriamente compitiendo en el baloncesto de competición?

Entrevista con Juan Rentería, jugador de Baloncesto SR

Baloncesto SR – ¿Qué es? ¿Baloncesto sobre ruedas?

Sobre patines, baloncesto sobre hielo – ¡me gustaría ver eso! No, es baloncesto en silla de ruedas. Se juega en una pista tradicional, con el aro a 3,05 metros. La única diferencia es que jugamos sentados y entonces estamos más lejos del aro.

¿Cómo empezaste a jugar al baloncesto?

Fui a un campamento de verano donde iba a hacer un curso de dibujo y pintura. Por las tardes jugaba con unos amigos, y me animaron a meterme en el equipo. Competimos en la liga regional. Este año, como iniciamos la temporada muy bien, casi ascendimos a la segunda liga nacional, pero terminamos en tercer lugar.

Tal vez tendréis más suerte el año que viene ...

Pues, claro que me gustaría ganar la liga, pero tendríamos que viajar por todo el país, y entrenar varios días a la semana ... creo que por mi vida personal, yo no quiero tomármelo tan en serio. De hecho el año que viene voy a inscribirme en un curso de buceo, así que no voy a tener tiempo para dedicarme al baloncesto al cien por cien.

2b 🔲 Con un(a) compañero/a, practica la entrevista usando las preguntas de 2a y la información del texto.

2c Contesta a las preguntas y luego discútelas con un(a) compañero/a.

- ¿Crees que es una buena o mala idea lo que decide hacer Juan al final?
- ¿Por qué crees que se practica este deporte?
- ¿Es más importante ganar la competición o disfrutar del momento en que se juega?

2d Imagina que eres Juan Rentería. Usa las frases clave de abajo para decir lo que harás en el futuro. Usa las ideas del texto.

Frases clave

Tengo la intención de	Quisiera
Espero	Me hubiera gustado ...
Cuento con	pero ...
Me gustaría	

Gramática ▶158 ▶W14

Adverbs

- Revise the formation and use of adverbs.
- When two or more adverbs are used, only put -mente on the second or last one.
  Los surfistas entraron en el mar lenta y cautelosamente.
- To make a comparison use *más* or *menos* before the adverb.
  El equipo ganó más fácilmente de lo que pensaba.
  El campeón corrió menos rápidamente de lo que quería.
- Use *de una manera* + adjective, *con* + noun or an adverbial expression to avoid an overload of adverbs.
  Jugaron de una manera experta pero con bastante cuidado.
- Common irregulars are *bien/mal* and *mejor/peor*.
- You can use *muy, bastante, mucho* and *poco* before an adverb to quantify or intensify it.

Ⓐ After doing activity 3a on page 79, rewrite each piece of advice using a type of adverb or adverbial expression from the list above.
Example: Bebe agua con frecuencia.

3a Lee los consejos. ¿En qué orden de importancia los pondrías?

Para encontrar equilibrio en tu vida es importante …

- mantener un equilibrio físico y mental
- comer sano
- dormir bien y suficientes horas
- siempre quemar las calorías extra
- hacer respiraciones profundas a menudo
- tener disciplina mental
- divertirse de vez en cuando
- beber agua frecuentemente
- hacer ejercicio a menudo
- relajarse tranquilamente

3b Escribe consejos para un(a) compañero/a.

Yo que tú haría …

Te aconsejo que hagas …

Sería mejor que hicieras …

4 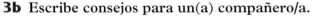 Escucha y anota lo que hace cada persona. Escribe dos listas – deporte/ejercicio y relajamiento/diversión.

Técnica

Checking your written work
First you need to check:
- Verbs: irregular, spelling change, tense, person and ending
- Pronouns: type, position, gender and number
- Nouns: gender and number
- Adjectives: agreement and position

Then look out for:
- Personal *a*
- Spelling
- Prepositions
- Accents

Remember, you need to devise a way that works for you. The best way is the way that suits you!

A Write an essay of a minimum of 200 words on:

¿Crees que es importante hacer deporte para tener buena salud?

Use the suggestions above to check your work.

Gramática ➡160 ➡W19

Por and para
These both mean 'for' but they are used quite differently.

Por
- in exchange for
- reason (because of, on account of)
- on behalf of, in favour of, for the sake of
- along, by, through
- length of time intended (but it is often better to use *durante*, especially in the past)

Para
- purpose
- destination of a person or object
- by a specific deadline

A Read the text below and find all the examples of *por* and *para*. Translate each usage.

El por qué y para qué del maratón

¿Qué le ocurre a nuestro cuerpo durante un maratón?

A lo largo del tramo de 42,2 kilómetros por el cual se desarrolla la competición, se pone al límite la resistencia del organismo humano. El control sobre una multitud de reacciones fisiológicas y emocionales es clave para conseguir subir al podio.

Las 85 pulsaciones por minuto de los aficionados contrastan con las 40 ó 45 que registran los maratonianos de élite al inicio de la prueba.

Durante el maratón, la mayoría de las constantes vitales experimentan un aumento; el pulso cardíaco, la temperatura del cuerpo, el consumo de los hidratos de carbono y el sudor.

Ya sobre el kilómetro 30 la concentración muscular de ácido láctico se ha doblado, el metabolismo comienza a consumir grasas tras agotar las reservas de hidratos de carbono y todos los corredores, aficionados y profesionales, se acercan al punto imaginario conocido como el muro, donde las reservas de azúcares están por agotarse.

Para finalizar, la deshidratación ha provocado que los deportistas hayan perdido entre 3 y 4 kilos de peso y hayan disminuido de 2 a 3 centímetros de altura.

Gramática en acción

➡170

Recuerda

The perfect and pluperfect subjunctives

These subjunctive moods are formed much like the indicative perfect and pluperfect, except the auxiliary verb *haber* takes the present and imperfect subjunctive respectively.

perfect subjunctive	pluperfect subjunctive
haya	hubiera/hubiese
hayas	hubieras/hubieses
haya	hubiera/hubiese
hayamos	hubiéramos/hubiésemos
hayáis	hubierais/hubieseis
hayan	hubieran/hubiesen
	(+ past participle)

Remember to check irregular past participles.

The uses of the subjunctive in the past are similar to its uses in the present.

Which tense of the subjunctive to use depends on the tense of the main verb.

The perfect subjunctive appears after a main verb in the present tense.

The pluperfect subjunctive appears after a main verb in the imperfect or preterite.

1 *No has hecho tus ejercicios hoy, ¿verdad?*
You haven't done your exercises today, have you?

   *Me choca que **no hayas** hecho tus ejercicios hoy.* I'm annoyed that you haven't done your exercises today.

2 *Había comido demasiado durante la semana.* I had eaten too much all week.

   *Mi médico quería que **hubiera comido** menos.* My doctor wished I had eaten less.

In addition, we use the pluperfect subjunctive to express a wish in the past.

***¡Ojalá hubiéramos ganado** el partido!*

If only we had won the match!

A Translate these sentences into Spanish.

   1 It is a miracle that we have learnt to play so quickly.

   2 It surprises me that they haven't worked as a team.

   3 They will win when they have acquired better discipline.

   4 If it hadn't rained, we would have gone canoeing.

Recuerda

➡168

Tenses using the auxiliary *haber*

You have now covered several compound tenses and moods of verbs using *haber*.

Revise the relevant sections of this and earlier units, and the grammar reference section, to remind yourself about which ones they are.

B Read the text below and make a list of the verbs using *haber* + a past participle. Say what tense each verb is in.

> Por primera y tal vez última vez en la historia, los dos mejores tenistas del mundo se han enfrentado sobre una pista mixta, mitad hierba, mitad tierra batida. La Batalla de las Superficies había atraído a unos 7.000 espectadores a la Palma Arena de la capital balear de Mallorca. Todos creían que el experimento favorecería a los dos por igual y de hecho, los dos han tenido que adaptarse rápidamente al invento. En realidad Nadal se había preparado bien y ha sabido leer mejor la situación al comienzo. Sin embargo a Federer no le ha gustado que el joven balear se impusiera de tal forma y después del primer set se dedicó a su objetivo. Qué milagro que Nadal se haya recuperado lo suficiente y en poco tiempo haya podido remontar con golpes espectaculares. Federer se quedó con las ganas de haber ganado el partido porque lo había hecho su rival.

C Now write a true or imaginary story using each one of the tenses you identified in the text above. Begin: *Hace unos años …*

Recuerda

➡160

Por and *para*

Complete the following sentences to remind yourself about which to use:

1 *Para* usually relates to …

2 *Por* often conveys the sense of …

D Choose between *por* and *para* to complete the sentences below.

   1 Los veleros pasan por/para la costa valenciana.

   2 ¿Tienes entradas por/para el partido?

   3 Por/para comenzar tienes que relajarte.

   4 El equipo sale por/para el campeonato de baloncesto.

   5 Se necesita un casco de seguridad por/para no hacerse daño.

Vocabulario

Tradición contra novedad

pages 74–75

una cesta	*basket*
una cometa	*kite*
la destreza	*skill*
un equipo	*team*
un espectador	*spectator*
el frontón	*wall (as in a squash court)*
una jaula	*cage*
la lucha libre	*wrestling*
el portero	*goalkeeper*
un reto	*challenge*
un salto	*jump*
los trucos	*tricks*
una vela	*sail*
alzar	*to raise up*
arriesgar	*to risk*
marcar un gol	*to score a goal*
realizar	*to fulfil*
vistosos	*bright and colourful*

¡Participemos en el deporte!

pages 76–77

el apoyo	*backing/support*
una carrera	*race*
la cima	*top/peak*
el consenso	*consensus*
el coste	*cost*
la esperanza	*hope*
el poder	*power*
una silla de ruedas	*wheelchair*
la suerte	*luck*
una ventaja	*advantage*
añadir	*to add*
citar	*to cite/quote*
darse cuenta	*to realise*
doparse	*to dope oneself/take dope*
hacer falta	*to lack*
jactarse	*to boast*
alucinante	*mesmerising*
injusto/a	*unjust*
a pesar de	*in spite of*
no sólo ... sino también	*not only ... but also*
sin lugar a dudas	*without a doubt*

Mente sana, cuerpo sano

pages 78–79

el aro	*basketball ring*
el baloncesto	*basketball*
el buceo	*diving (scuba)*
un equilibrio	*balance*
la grasa	*fat*
la liga	*league*
el muro	*wall*
una pista	*court*
el podio	*podium*
la prueba	*test*
una rueda	*wheel*
el sudor	*sweat*
agotarse	*to run out of/exhaust*
animar	*to encourage*
ascender	*to go up*
decepcionarse	*to feel disappointed*
divertirse	*to enjoy oneself*
entrenar	*to train*
inscribirse en	*to apply/sign up for*
quemar	*to burn*
respirar	*to breathe*
estándar	*standard*
a menudo	*often*
al cien por cien	*one hundred per cent*

Rellena los espacios en las frases siguientes con la forma adecuada del verbo o de la palabra entre paréntesis.

1 Quisiera que _____ campeón del mundo. (ser)

2 Me choca que no _____ un partido tan importante. (ganar)

3 El entrenador quiso que los jugadores _____ cuenta de que no hacían suficiente esfuerzo. (darse)

4 A pesar de su habilidad tan _____ nunca llegó a ganar una medalla de oro. (alucinante)

5 Poseía un talento _____ que se notaba apenas tenía ocho años. (precoz)

Extra

El ocio es signo de calidad de vida e imprescindible para mantener una buena salud física y psíquica. "Con este tiempo personal se reducen los problemas provocados por la rutina diaria y se puede superar la parte negativa de la existencia", explica Manuel Cuenca, catedrático de Pedagogía y director del Instituto de Estudios de Ocio.

En los últimos tiempos <u>el ocio se ha universalizado</u>. Ya <u>no es sólo patrimonio de los jóvenes</u> sino de todas las generaciones, aunque es en esta época de la vida cuando se descubre y cuando tiene unas características más sociales que en ningún otro momento. Así, los jóvenes españoles dedican la mayor parte de su tiempo libre a estar con sus amigos. Para ellos las actividades fuera de casa tienen una importancia vital, y ellos son también <u>quienes</u> más deporte practican y más viajan. Ver la televisión es la segunda actividad que realizan, seguida de escuchar música.

Al llegar a la edad adulta, "estar con la familia" comienza a ser la actividad fundamental, y la televisión se convierte en estrella indiscutible. <u>El ocio se vuelve esencialmente hogareño</u>. Las populares salidas al campo los fines de semana y las vacaciones <u>veraniegas</u> son los momentos en los que los adultos disfrutan más del ocio.

Para la tercera edad, ese 15% de la población española que <u>no está sujeto a horarios laborales</u> y goza mayoritariamente de buena salud, el tiempo libre <u>vuelve a ser protagonista</u>. Sin embargo, según un estudio del Instituto de Servicios Sociales, la gran mayoría de jubilados no practica ningún deporte, ni sale de casa para actos sociales o culturales con frecuencia. Ver la televisión, escuchar la radio y pasear son sus entretenimientos favoritos. Pero una minoría en aumento aprovecha las oportunidades que la jubilación le da para desarrollar otras actividades como la lectura y los viajes de tipo cultural.

1 Lee el artículo y contesta a las preguntas.

1 ¿Cuáles son las actividades más populares entre los jóvenes españoles?

2 ¿Cuándo es que los adultos pueden divertirse?

3 ¿Cuántos ancianos hacen algún tipo de deporte?

4 ¿Quién tiene tiempo para leer?

2a Lee las frases que contienen palabras subrayadas. ¿Qué estrategia utilizarías en cada caso?

- deducir a partir del contexto
- semejanza con palabras conocidas
- diccionario
- se entiende aunque no sea posible traducirlo al inglés

2b Explica las palabras subrayadas en español o tradúcelas al inglés.

3 Escucha a Beto, Ana Laura, Margarita, Sergio y Chente. ¿Quién …

1 … no menciona el deporte?

2 … da un ejemplo específico de un deporte que recomienda?

3 … dice que el deporte es peligroso?

4 … dice que es importante escoger una forma de ejercicio que te conviene?

5 … dice que la mayoría no practica el deporte?

Técnica

Finding ideas and information on the Internet

Looking for information on Spanish websites will require all the reading skills you have been developing for dealing with authentic texts in addition to some specific Internet search skills:

- Make sure you know if the sites you find are Spanish or from a different hispanic country.
- See if they are official sources of information or are news sites reporting on it.
- Decide whether to navigate through pages on the site or use a search facility.
- Evaluate which sites, pages and specific sections have useful information.
- Put together the picture for yourself using clues from titles, graphs and pictures, raw data and summaries.
- Select evidence and draw conclusions, making sure you can explain your points.

A Investigate surveys (*sondeos*) and up-to-date statistics on sport and health in Spain. Try looking for *Sondeos del Injuve, El Barómetro Sanitario* and *El Instituto Nacional de Estadísticas.*

B Present the facts you have found and your conclusions to the class in Spanish.

Salud y bienestar

By the end of this unit you will be able to:

- Discuss the health risks of drinking alcohol
- Discuss the health risks of tobacco and illegal drugs
- Comment on diet and eating disorders
- Talk and write about work-life balance

- Recognise and use the perfect infinitive
- Use the subjunctive to express doubt and improbability
- Use demonstrative adjectives and pronouns
- Use the imperfect continuous tense
- Listen for detail
- Pinpoint information when reading
- Explore and compare different points of view

Claves para una vida sana

1a Haz el test.

1 ¿Cuándo tienes hambre comes …
 a … fruta fresca? (1)
 b … alguna chuche? (3)
 c … chocolate? (2)

2 ¿Cuándo tienes sed tomas …
 a … agua?
 b … café?
 c … zumo de naranja?

3 Desayunas …
 a … cereales?
 b … huevo frito?
 c … nada?

4 ¿Haces ejercicio …
 a … de vez en cuando?
 b … muy a menudo?
 c … raras veces?

5 ¿Para relajarte prefieres pasar el tiempo …
 a … delante de la tele?
 b … chateando con tus amigos?
 c … dando un paseo?

6 ¿Cuándo sales de fiesta …
 a … te diviertes moderadamente?
 b … bebes demasiado?
 c … trasnochas hasta la madrugada?

1b Sigue el ejemplo del número 1 arriba y discute tus respuestas con un(a) compañero/a inventando los puntos para 2–6. Inventa el sistema de puntuaciones y algunos consejos.

0–8 = ?   9–16 = ?   17–24 = ?

1c Lee el texto. ¿Qué consejos ofrece?

Tu agenda para la semana.

En forma en 30 días.

Recuperar la forma física en un mes no es una tarea imposible. Para conseguirlo tan sólo hace falta disposición y un poco de disciplina. Además es necesario preparar una dieta adecuada y seleccionar el ejercicio o deporte que más te convenga.

El alcohol

▶ *¿Bajo la influencia? ¿Cómo afecta tu salud?*

1a Lee el folleto de abajo e identifica dónde se mencionan las siguientes ideas:

1 beber sin exceso

2 conducir después de beber

3 la imagen que fomenta la publicidad

4 tomar tus propias decisiones

1b Identifica los imperativos positivos y negativos. Ver la casilla Gramática en la página 36.

Ejemplo: "Bebe agua. No bebas vino."

1c ¿"Vive" o "Vida"? Decide a qué texto se refieren estas frases.

1 Es el anuncio de una bebida.

2 Es un anuncio informativo oficial.

3 Promueve el consumo de alcohol.

4 Intenta seducir al consumidor.

5 Intenta advertir al consumidor.

6 Personalmente, no me convence.

¡Vive!

Los accidentes no son accidentes. Tú decides.

- Si has bebido, no conduzcas.
- No te montes en un coche con un conductor que haya bebido.
- Evita que un amigo bebido coja el coche.

La seguridad de todos depende de la prudencia de cada uno.
La publicidad que nos invade nos incita a consumir alcohol. Reflexiona sobre los siguientes puntos: Popularidad, atracción sexual, madurez, juventud, felicidad, diversión, sofisticación, placer.
Provoca el deseo, porque provoca la compra.

- Piensa en bebidas sin alcohol.
- Bebe poco a poco, alternando con bebidas sin alcohol.
- No participes en las "rondas".
- Olvídate de las mezclas explosivas.

Debes saber que NO hay un límite de seguridad de consumo de alcohol en menores de edad.

Párate a pensar cuánto alcohol consumes.
Tú decides. La diversión no debe costarte la vida.

La calidad de *Vida*

La cantidad es tu responsabilidad.

1d Compara la publicidad con el aviso sobre el alcohol. ¿Cuál tendría más efecto sobre los jóvenes?

1e Utiliza el texto del anuncio informativo "Vive" para criticar el anuncio "Vida".

Frases clave

advertir	incitar	provocar
evitar	seducir	

Gramática  ➡168 ➡W66

The perfect infinitive

- The verb *haber* can be used in the infinitive with the past participle:

  haber bebido   to have drunk

- These expressions with *al/de* are harder to translate into English:

  al haber bebido   on having drunk, when (someone) has drunk

  de haber bebido   on having drunk, if (someone) has/had drunk

- In Spanish you use the perfect infinitive when you would use the gerund (-ing form) in English.

  después de haber bebido   after drinking

- You also need the perfect infinitive in the following phrases:

  must have   should have

  may have   could have

  Catalina debe haber bebido demasiado.

  Catalina must have drunk too much.

  Deberían haber cogido un taxi.

  They should have got a taxi.

  Podría haber conducido.

  I could have driven.

- The past participle with *haber* never changes its ending. When it is used as an adjective it does agree.

  He organizado una fiesta.   *La fiesta está organizada.*

A Translate these sentences into English:

1 Rafa dijo haberse puesto el cinturón de seguridad.
2 De haberlo sabido, yo no hubiera subido al coche.
3 Debería de haber ido a mi casa en taxi.
4 De haber bebido, no hubiera conducido.

B Translate these sentences into Spanish using the perfect infinitive:

1 To have drunk so much was a bad idea.
2 To have driven home was very dangerous.
3 On arriving home, he went to bed.
4 He should have drunk water.

Técnica

Listening for detail

Here are some strategies to help you pick out detail in listening exercises:

- Before listening, look at exactly what the questions say.
- Think of other ways of expressing the ideas in the question: *mucho dinero/muy caro*.
- When you listen, it may seem as if **all** the options are mentioned. However, watch out for negatives – *no, tampoco, ni siquiera, nadie, nunca* – and for ideas that are mentioned as possibilities: *quizás, tal vez, es posible que*.
- Look out for specific examples that correspond to the question.
- Look for sentences that sum up or explain: *De hecho …*

A 🎧 Listen to the passage once for gist.

B Read the options below and check that you understand all of the vocabulary.

1 El botellón es un fenómeno
 a reciente
 b tradicional
 c pasado de moda

2 Tiene lugar en
 a un supermercado
 b un lugar público
 c un bar

3 Muchos jóvenes
 a no tienen dinero
 b no tienen la edad para entrar en un bar
 c van a un bar

4 Los jóvenes preferirían
 a organizarse oficialmente
 b ir al cine
 c ir a un bar

C 🎧 Listen again for detail and select the correct options.

2 ¿Es responsable la actitud de los jóvenes hacia el alcohol? Escribe argumentos a favor y en contra de esta afirmación.

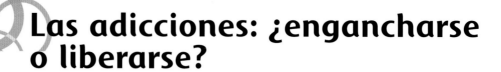

Las adicciones: ¿engancharse o liberarse?

▶ *¡Cuántos riesgos corremos si no hacemos frente a los problemas!*

1a Lee el artículo. ¿Quién dice …?

1 La sociedad tiene que ayudar a los drogadictos.

2 La sociedad tiene que actuar contra los drogadictos.

3 Los adictos no pueden tomar decisiones.

4 Los adictos deciden tomar drogas.

5 Los drogadictos no quieren drogarse.

6 Los drogadictos quieren escapar de su adicción.

7 Los adictos no quieren dejar de pincharse.

1b Las opiniones son directamente contradictorias. Considera los siete puntos del ejercicio 1a.
¿Con qué puntos estás de acuerdo?

1c Escribe las frases con las cuales estás de acuerdo. Empieza con "Creo que …".

Ejemplo: Creo que la sociedad tiene que ayudar a los drogadictos.

Gramática

▶ 170 ▶ W53

The subjunctive: doubt and improbability

The subjunctive is used when two parts of a sentence don't sit well together. For example, 'I don't think the subjunctive is difficult' consists of two phrases: 'I don't think' + 'The subjunctive is difficult'. 'The subjunctive is difficult' directly contradicts what I am actually trying to say. I can weaken that part of the sentence by using the subjunctive:

*No creo que **el subjuntivo sea difícil**.*

Whenever you use a sentence to cast doubt, the main verb is in the indicative, and the subjunctive is used to subordinate what it is you don't believe in.

Dudo que los adictos sean "enfermos".

Es poco probable que los adictos quieran seguir así.

No reconocen que necesiten ayuda.

A Write the sentences you disagree with. Begin by using *No creo que* …. You need to use the subjunctive.

El Debate

El toxicómano: ¿Criminal o Paciente?

Irma Sánchez:

No creo que los drogadictos busquen tratamiento médico.

Para ellos drogarse es su estilo de vida y considero poco probable que quieran cambiar. De hecho suelen ser individuos que mantienen que es su derecho decidir cómo actuar, sin tener en cuenta las consecuencias. No reconocen que tienen un problema y reivindican sus derechos.

Sabiendo que perjudica la salud, y que es ilegal, insisten en picarse. No creo que se pueda decir que son "enfermos". Son criminales.

Iván Gómez:

¿Realmente puedes creer que tratar a un drogadicto como a un criminal le ayude?

No acepto que la amenaza de detener y castigar a un adicto vaya a cambiar su situación.

Es casi imposible que se salve de su dependencia sin tratamiento.

Una persona que vive con una dependencia física no quiere más que aliviar esa dependencia. El drogadicto lo hace pinchándose, pero a la vez confirma su adicción. ¿No ves que lo que realmente necesita es una forma de liberarse de ese círculo vicioso?

Frases clave

Dudo que …	No creo que …
Es poco probable que …	No acepto que …
Es imposible que …	¿Cómo puedes pensar que …?
No reconocen que …	

2a Escucha cuantas veces sea necesario a este joven toxicómano hablar de su problema y contesta a las preguntas de abajo.

1 ¿Cómo empezó su adicción?

2 ¿Cómo describe los pasos hacia la drogadicción?

3 ¿A qué o a quién atribuye su salvación?

4 ¿Qué comentario hace sobre la legalización de las drogas?

2b Discute en clase.

● ¿El gobierno debe legalizar las drogas "suaves" como la marijuana?

● ¿Qué drogas son las más dañinas en tu opinión?

● ¿Qué hace que a la gente se drogue?

● ¿Cómo debemos ayudar a los drogadictos?

● ¿Cuesta menos ayudarles que dejarles enganchados?

3a Lee las opiniones 1–8 de al lado. ¿Cuáles están de acuerdo con la intervención del gobierno?

3b Relaciona estas afirmaciones con las opiniones 1–8.

a Dudo de que al gobierno le importe nuestra salud. Quiere ganar votos simplemente.

b Si fumo, no creo que afecte a los demás. El gobierno quiere imponerse en mi vida.

c No creo que el gobierno quiera atacar el tabaquismo sino a los fumadores.

d Es probable que dentro de unos años esté prohibido fumar.

e Yo pienso que el gobierno no debería hacer nada más que informarnos.

f No creo que sea justo que los fumadores reclamen los servicios de salud, que todos pagamos.

g Creo que el gobierno no debería hacer nada más que reducir el impacto de la publicidad negativa.

h No creo que el gobierno pueda negar su responsabilidad hacia los fumadores.

4a Escucha a Inma, Pili y Mateo. ¿Están a favor o en contra de prohibir fumar en lugares públicos?

4b Explica tu propia opinión a un(a) compañero/a.

4c Escribe un párrafo con argumentos a favor y en contra de la prohibición de fumar en lugares públicos.

Fumar perjudica gravemente su salud y la de los que están a su alrededor

1 "Empiezan con una campaña de 'educación', pero logran cambiar las actitudes y diez años después pueden prohibir otra parte de nuestro estilo de vida."

2 "Los gobiernos quieren asociarse con ciertos valores, proyectar cierta imagen. Campaña de salud pública, o campaña electoral: es lo mismo."

3 "La sociedad sufre las consecuencias: el gobierno tiene que actuar."

4 "Un pequeño acto de rebeldía que sólo me perjudica a mí. ¿El gobierno quiere protegerme, o quiere controlarme?"

5 "Yo no sé si las campañas están en contra del tabaco o en contra de los fumadores. Quieren imponer unos valores, un estilo de vida."

6 "No debemos separar al gobierno del resto de la sociedad. Todos tenemos una responsabilidad hacia los démas."

7 "La responsabilidad del gobierno se limita a asegurarse de que disponemos de la información adecuada para tomar nuestras propias decisiones."

8 "Estamos rodeados de material publicitario. El gobierno intenta mantener el equilibrio."

Salud es vida

▶ *¿Es fácil sentirse bien?*

1a Lee los tres textos. ¿Mariano, Lety o Sofía? ¿Para quién es más importante …?

1 la comida	4 el cuerpo
2 la identidad	5 el tiempo
3 la familia	

1b Escucha. ¿Quién habla? ¿Lety o Sofía?

1c Explica a un(a) compañero/a qué aspectos de la actividad 1a son más importantes para ti.

1d Escribe el perfil de una persona a quien no le preocupa ni la dieta, ni el ejercicio, ni la identidad.

Hace ocho años estaba trabajando demasiado, casi estaba viviendo en la oficina, y durmiendo muy poco. Claro que no podía seguir así … me estaba poniendo enfermo y no me daba cuenta. Un día decidí que ya no aguantaba más. Estaba ignorando la salud, que es lo más importante. Así que, como es mejor prevenir que curar, cambié de trabajo y ahora dedico más tiempo al ocio, a mi esposa y a mis hijos.

Mariano Carriquí

Dicen que en España la comida biológica es carísima, pero yo estaba viviendo en Nueva York y enfrente de mi casa había una tienda de comida orgánica y lo que puedes comprar en esas tiendas no se puede comparar con la calidad que encuentras aquí en cualquier tienda de barrio. La fruta aquí es más sabrosa, y no hay que pagar precios desorbitantes. Lo importante es saber lo que comes. También tienes que saber lo que te pones en la piel. Yo uso cosméticos pero me aseguro de que todos sus componentes sean naturales. No me complico la vida, pero sí me cuido.

Lety Galván

Estaba buscando el éxito, el dinero, la fama … y cada día me sentía más insatisfecha. Creo que descubrir tu verdadera identidad es el secreto de la felicidad. He visitado Japón y la India, he leído mucho, y he pensado sobre ello. Los ricos practican yoga o pilates como si fuera gimnasia, pero, para conseguir beneficios, tienes que ponerte objetivos, hacer meditación y relajarte. Así estarás cuidando tu cuerpo, pero también tu mente, que es lo más importante.

Sofía Sangsu

2a Lee el texto y busca cómo se dice:

1 always wanting more
2 Don't forget the importance of free time.
3 The secret is to keep a balance.
4 Don't seek out additional stress.
5 Adverts offer us more and more tempting products.
6 Too much work takes away our time.

2b En estas frases las ideas están desordenadas. Corrígelas.

1 En el trabajo — reserva tiempo para descansar.
2 En el tiempo libre — aprovecha el tiempo juntos.
3 Durante el día — evita obsesionarte.
4 Con la familia — evita una agenda atestada.

2c Busca en el texto ejemplos específicos de cómo sacar el máximo provecho a la vida.

3a Escucha a Maritza y completa una ficha así:

Tareas	Actividades	Descanso
✓✓		

¿Cómo sacar el máximo provecho a la vida?

No confundas nivel de vida con calidad de vida: nivel de vida es siempre querer tener más, y nunca contentarte con lo que ya tienes.

Divide tu día en tres: Se necesitan ocho horas para dormir, ocho horas para relajarte, además de ocho horas para trabajar. No olvides la importancia del tiempo libre. El secreto es mantener el equilibrio.

El tiempo libre no tiene que significar llenar tu agenda de actividades. No busques el estrés adicional de conducir de una cita a otra, cumplir compromisos sociales, ganar concursos deportivos.

Aprende a decir "no" al consumismo. La publicidad nos ofrece cada vez más productos seductores, que nos llevan a mantener un tren de vida por encima de nuestros recursos. La sobrecarga de trabajo nos quita tiempo para descansar o para estar con nuestros seres queridos.

3b Describe tu día típico a un(a) compañero/a. Menciona el trabajo, el ocio, el descanso y la comida.

Gramática
167 W43

The imperfect continuous

- Spanish has two forms of the imperfect:
  comía: I was eating/I used to eat
  estaba comiendo: I was eating

- The continuous form of the imperfect is formed using the imperfect tense of *estar* + the present participle. It is useful for talking about interrupted action:
  Estaba comiendo cuando llegaron.
  I was eating when they arrived.

A Read the texts on page 90 again. Find and translate all the examples of the imperfect continuous.

B Change the underlined verbs into the continuous form.
1 Estudiaba Ingeniería, pero era demasiado trabajo.
2 Visitaba la India cuando conocí a un guru.
3 Buscaba comida biológica, pero no era necesario.

Gramática en acción

➡168

Recuerda

The perfect infinitive
After *haber* the participle never changes. When it acts as an adjective, it needs to agree.

A Decide if the past participle should change or not.

1 Había <u>bebido</u> tres botellas de cerveza.
2 Los jóvenes <u>bebido</u> no deben conducir.
3 La niña <u>herido</u> viajaba en el coche.
4 Faustina debería haber <u>cogido</u> un taxi.
5 Los coches <u>accidentado</u> iban demasiado rápidos.

B Write a list of consequences for each picture.

Example: A *Al haber comido demasiados dulces, vomitó … Por haber vomitado, le regañaron … Después de haberle regañado, no le dejaron ir a la fiesta … Al no haber podido ir a la fiesta, se quedó en la casa a comer dulces.*

➡169

Recuerda

The subjunctive for doubt
With expressions of doubt, you need to use the subjunctive for the part of the sentence you don't believe.

C Complete these sentences, putting the verb into the subjunctive.

1 Dudo de que los jóvenes (ser) irresponsables.
2 No creo que el gobierno (deber) controlar nuestra vida.
3 No es muy probable que fumar (causar) accidentes.
4 Dice que es imposible que (tener) un accidente.
5 No reconoce que (estar) borracho.

D Give your opinion on the following points. If you do not agree, you need to use the subjunctive.

Example: No creo que el azúcar cree adicción.

El azúcar crea adicción.

El deporte es peligroso.

El aceite de oliva es saludable.

La música puede dañar el oído.

Los médicos no saben nada.

Es tonto fumar.

El ejercicio es más importante que la dieta.

➡167

Recuerda

The imperfect continuous
You can use *estaba* + present participle to make the continuous form of the imperfect.

E Imagine you have had an accident. Explain to the doctor what you were doing and what happened to you.

Vocabulario

Rellena los espacios en las frases siguientes con la forma adecuada del verbo o de la palabra entre paréntesis.

1 No creo que la propaganda nos _____ a liberarnos de las adicciones. (ayudar)

2 Dudo que _____ que el alcohol hace tanto daño como el tabaco al cuerpo humano. (reconocer)

3 Después de _____ tantas copas fue muy peligroso tratar de conducir a casa. (tomarse)

4 Mi abuela siempre cocinaba con aceite de oliva y dijo que _____ era el secreto de su larga vida. (este)

5 Actualmente los niños obesos sufren a causa de _____ chucherías que consumían de chiquitos. (aquel)

Extra

Fallecen 2 modelos, hermanas, en 6 meses

15 de febrero

Eliana Ramos, de 18 años, fue encontrada sin vida el martes pasado en la casa de su abuela, sin ningún signo exterior anormal. Apenas el 2 de agosto había fallecido su hermana Luisel Ramos, de 22 años, a escasos minutos de haber bajado de la pasarela. Luisel era una de las modelos uruguayas que el argentino Pancho Dotto contrataba anualmente para los desfiles de modas en el balneario uruguayo de Punta del Este. Al morir, se dijo que ella era anoréxica, un mal que parece perseguir a las modelos; también se rumoreó o que las drogas y la mala alimentación se unieron para provocarle la muerte. La causa oficial de su desaparición fue ataque cardiaco.

Respecto de Eliana, se informó en la prensa que la justicia ordenó su autopsia pero el resultado no se conocerá hasta dentro de un mes.

El día que murió Luisel, era la primera vez que desfilaba junto a su hermana Eliana.

Susana Bernik, una de las más famosas diseñadoras uruguayas, comentó al diario *Últimas Noticias* que existe una "especie de mal de la época" que afecta a muchas modelos de talla internacional. "Soy consciente de que en el modelaje existe el problema de la flacura, de esa carrera por ver quién está más delgada. Es muy difícil darse cuenta hasta dónde se puede llegar y muchas se pasan de la raya", aseguró Bernik.

Desde la Pasarela Cibeles de 2006, en España se dispuso que las modelos deben tener una determinada masa corporal, medida que también se tomó en Londres y Milán, centros de la moda internacional.

1a Busca palabras en el articulo que se refieren a la moda, a la salud, o a la muerte.

1b ¿Cómo se traducirían estas palabras en el contexto de las frases del articulo?

- apenas = *hardly?*
- unirse = *to unite?*
- carrera = *career? race?*
- asegurar = *to assure?*
- escaso = *scarce?*
- talla = *size?*
- raya = *stripe?*
- disponer = *to arrange?*

1c Lee otra vez el artículo e indica cuales son los errores de las frases de abajo. Explica lo que realmente ocurrió.

1 Las dos hermanas murieron en un desfile.
2 Luisel dijo que era anoréxica cuando murió.
3 Un hombre malvado perseguía a las modelos.
4 Desde 2006 toman las medidas de las modelos.

2a Escucha a Jimena, Javier y a Diana. Toma apuntes sobre sus puntos de vista.

2b Explica las tres opiniones y debate quién tendrá razón.

Técnica

Exploring and comparing different points of view (1)

On page 32 you looked at stating and developing opinions.

A more sophisticated approach could be to:

- Set out the complexity of the topic, explore both sides of the argument, and find an idea that is the key to understanding the issues.

When you are comparing two cases, you need to decide whether to:

- Deal with one case, then the other, before drawing a conclusion.
- Compare and contrast the two cases in each paragraph, dealing with different aspects in turn.

A Investigate what happened in the tragic cases of Luisel and Eliana. Write a 200–250 word report on the causes and circumstances of their deaths.

9 Vacaciones

Destinos alternativos

En Latinoamérica hay muchos lugares de interés turístico ...

1a España sigue siendo un popular destino turístico y hoy en día hay muchos otros países de habla hispana que lo son también. Escribe una lista de los países donde se habla español y menciona sus atracciones turísticas si las conoces.

1b Relaciona las fotos con el sitio que representan. ¿Sabes en qué país se encuentran?

1 El Salar de Uyuni
2 Chichén Itzá
3 La Isla de Pascua
4 Machu Picchu

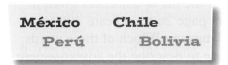

México   Chile
Perú   Bolivia

2a 🎧 Escucha al agente de viajes y comprueba tus respuestas.

2b 🎧 Escucha otra vez. Contesta a las preguntas.

1 ¿Por qué es Machu Picchu tan importante para la economía de Perú?
2 ¿Qué tienen de particular los hoteles del Salar de Uyuni?
3 ¿Qué civilización construyó Chichén Itzá?
4 ¿En qué océano se encuentra la Isla de Pascua?
5 ¿Cuántos Moais hay en la isla?

9 ¿El turismo: beneficio o maleficio?

▶ *¿Qué impacto tiene el turismo sobre la gente, la cultura y el lugar?*

1a Considera los efectos del turismo en nuestras comunidades. ¿Son efectos positivos o negativos?

1 Incremento de puestos de trabajo
2 Aumento del riesgo de incendios en zonas forestales
3 Mejora de infraestructuras
4 Conservación de lugares bellos y naturales
5 Degradación ambiental
6 Establecimiento de relaciones amistosas entre turistas y residentes
7 Pérdida de la identidad cultural
8 Revitalización del arte y de las tradiciones
9 Inflación de precios
10 Aumento del coste de la vivienda

1b 🗣 ¿Se te ocurren otros efectos? Habla con un(a) compañero/a y añádelos a tu lista.

2a 🎧 Escucha la reacción de Ramón. ¿Tiene una opinión positiva o negativa del turismo?

2b 🎧 Escucha otra vez. ¿Cuáles de los siguientes puntos **no** se mencionan?

1 oportunidades de trabajo
2 aprender idiomas
3 perspectiva internacional
4 efecto en el medio ambiente
5 instalaciones para el ocio
6 construcción de casas
7 infraestructura de transporte

3a 🎧 Ahora escucha la presentación de Jessica. ¿Cuál es su opinión del turismo? ¿Es positiva o negativa?

3b 🎧 Escucha de nuevo y anota los puntos principales que menciona Jessica. Haz una lista similar a la de la actividad 2b.

Gramática   165 ⏵ W32

Continuous (or progressive) tenses

The continuous tenses describe what is or was happening or is going to happen at a given moment in time. They consist of the present, past, future or conditional forms of the verb *estar* followed by the gerund:

Estoy ahorrando para las vacaciones.	I am saving for my holidays.
present continuous	
Estaba ahorrando para las vacaciones.	I was saving for my holidays.
imperfect continuous	
Estuve ahorrando para las vacaciones durante seis meses.	I was saving for my holidays for six months.
preterite continuous	
Estaré ahorrando para las vacaciones todo el año.	I will be saving for my holidays the whole year.
future continuous	
Estaría ahorrando para las vacaciones si no me hubiese comprado el coche.	I would be saving for my holidays if I had not bought the car.
conditional continuous	

Also remember that when you add a pronoun at the end of the gerund, you will need to put an accent.

> **Examples:** esperando las vacaciones →
> esperándolas
>
> *Se están levantando tarde estos días.*
> → *Están levantándose tarde estos días.*

Ⓐ 🎧 Listen again to Ramón's reaction. What examples of continuous tenses does he use?

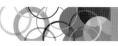

Técnica

How to write formal letters

1 Your name (and position if you are writing in a professional capacity) and address are normally aligned to the right margin of the page.

2 The place you are writing from and the date are also normally aligned to the right.

3 Name, title, company and address of the addressee need to be aligned to the left.

4 Write your formal greeting.

5 Compose the main body of your letter.

6 Write your formal closing phrase.

7 Leave four to six spaces for you to place your signature and write your name and surname underneath.

8 If after you have signed, you want to add something, write a *postdata* which you indicate with *PD* at the beginning. This is the equivalent of the PS in an English letter.

Remember: put your ideas in order, start a new paragraph for each new idea and take care with spelling and punctuation.

Look at the letter opposite for examples of the eight features listed.

4a Lee la carta. ¿Cuántos verbos en tiempos continuos puedes encontrar?

4b Traduce la carta al inglés con ayuda de un diccionario. Utiliza el tono y lenguaje equivalentes.

4c Imagina que eres el Sr. Ochoa. Revisa la sección de Técnica y responde a la carta de Elena García. En el texto principal debes:

- hacer referencia a su carta
- disculparte por las molestias ocasionadas y el retraso
- explicar que no recuerdas haber recibido la carta de su marido
- convencer a la Sra García de que el turismo va a aportar muchas ventajas a la zona. Revisa las actividades 1a y 2b para obtener algunas ideas.

1 Elena García Pérez
C/Serranía de Oro 16, 1°
91870 Serranía de Mar
Murcia

2 Serranía de Mar, 31 de agosto de 2007

Joaquín Ochoa Benítez
Consejero Comarcal
Ayuntamiento de Murcia **3**
Plaza Europa 1
30010 Murcia

Estimado Sr. Ochoa: **4**

5

Me desagrada tener que ponerme en contacto con usted por
circunstancias poco agradables.

Hace veinte meses que los vecinos de mi comunidad estamos viviendo entre polvo, ruido, tráfico y otras incomodidades que resultan de la construcción del nuevo complejo turístico Serranía del Cielo.

Lamento que su promesa de que para este verano estaríamos disfrutando de los beneficios derivados de un turismo de lujo y turistas con capacidad adquisitiva no se haya materializado, pues nuestros comercios están perdiendo ingresos por la falta de clientes regulares desde que desapareció el aparcamiento Don Coche.

Asimismo, el retraso en la finalización de las obras está enfureciendo a los vecinos, que se preocupan por la cantidad de indeseables que atrae ahora el barrio, ya que este se parece más a una zona de batalla que a una zona residencial respetable.

Me pregunto si todavía estaremos sufriendo las consecuencias de este proyecto cuando llegue la temporada de esquí, puesto que parece que el complejo se está construyendo mucho más despacio de lo acordado en las reuniones de planificación.

Le ruego tenga la cortesía de justificar el quebrantamiento del acuerdo que pactó con los vecinos de la comunidad afectada.

Esperando con impaciencia su respuesta.

Le saluda atentamente, **6**

Elena García **7**

Elena García **8**

PD. Hace dos meses, mi marido le envió una carta de protesta pero todavía estamos a la espera de su respuesta.

9 ¡Merecidas vacaciones!

▸ *¿Para qué las necesitamos y qué beneficios traen?*

1a 🎧 Escucha la entrevista y completa la tabla de abajo.

	Propósito del viaje	Beneficio(s)
1		
2		

1b 👥 Discute con un(a) compañero/a.
- ¿Quién tiene la mejor idea para las vacaciones en tu opinión?
- ¿Por qué? ¿Cómo le beneficia las vacaciones?
- ¿Qué otras ideas tenéis vosotros?
- ¿Qué más beneficios podéis inventar?

2 Lee la lista de pedidos (1–8) y emparéjalos con las ideas ofrecidas (A–H).

¿Para qué necesitamos vacaciones? ¿Qué beneficios traen?

Cada cual tiene una razón diferente

Quisiera tener unas vacaciones ...	¿Cuántos beneficios tiene nuestra última oferta de vacaciones? Ofrecemos ...
1 para relajarme completamente de la vida estresante que llevo.	**A** ... el arte culinario de los árabes: ven a aprender incluso sin experiencia previa y aumenta tus aptitudes gastronómicas.
2 durante las cuales pueda aprender algo nuevo.	**B** ... nuestro curso superior de lenguas que no sólo incorpora el uso de laboratorios y profesorado indígena, sino también toda la cultura de nuestra ciudad, Brighton.
3 donde haya gente joven de mi edad y pueda hacer actividades diversas.	**C** ... el beneficio de nuestras clases de yoga para un descanso total y refrescante.
4 en las cuales sirva para algo útil y ayude a otros menos afortunados.	**D** ... el entretenimiento de un club para los menores de treinta años para que se diviertan haciendo diferentes actividades.
5 para adelgazar y ponerme en forma.	**E** ... los servicios de las últimas terapias para perder exceso de peso y sentirse en forma.
6 donde haya aventuras y cultura diferente a la mía.	**F** ... el paisaje verde de los Picos de Europa donde se puede hacer senderismo y conocer los rincones escondidos asturianos.
7 donde se hable inglés británico porque quiero perfeccionar el idioma.	**G** ... la oportunidad de sentirse satisfecho ayudando a los niños de la calle que piden a gritos consuelo y dirección.
8 en las cuales conozca mejor mi país.	**H** ... la aventura de la selva amazónica donde conocerás una vida totalmente distinta y abordarás nuevos horizontes.

Gramática ➡170 ➡W58

Constructions using *si*
- Where the implication is that the event has already happened or is very likely to happen, use:

  si + present tense + imperative

  Si quieres ir, ve. Si quieres hacerlo, hazlo.

  si + present tense + future or present

  Si quiere ir, irá. Si quiere hacerlo, lo hará.
- Sometimes *si* has the sense of 'when':

  Si la playa estaba muy llena, se quedaban en la piscina.
- Sometimes it has the sense of 'whether' in an indirect question:

  Dime si vas a ir a Málaga para las vacaciones.

But
- When *si* is used in past tense clauses, use the subjunctive and the conditional where the sense is that the action is impossible or doubtful.

  Si tuviera mucho dinero, daría la vuelta al mundo.

  Si lo hubiera sabido, no habría reservado ese hotel.
- Remember:

  If A happens then B will happen = indicative

  If A happened then B might/could/would happen = subjunctive

A Look at these examples and decide why each tense is used.
   1 Nos trataron como si fuéramos famosos.
   2 Si servían comida vegetariana, nos quedábamos contentos.
   3 Si pudiera ir de vacaciones cada mes sería feliz.

B Complete these sentences with the correct form of the verb.
   1 Si tienes suficiente dinero (poder) venir de vacaciones con nosotros.
   2 Si (llegar) al aeropuerto a tiempo no habrías perdido el avión.
   3 Si hubiera hablado el idioma le (resultar) más fácil comunicarse en sus viajes.

C Think of a past holiday and make up three sentences with structures using *si*. Do the same for a planned or fictitious future holiday.

bblog http://www.vacaciones.es   ⊗

INICIO   EL AUTOR   SUSCRIPCIÓN   CONTACTO

Ha llegado el momento de realizar el sueño de toda una vida: ir a conocer la antigua civilización Inca. Desde niña me ha fascinado esta cultura andina y por fin, ya de vieja he podido planear todo mi viaje por Internet.

Ayer llegué a Cuzco, una ciudad que ha sido conservada en el estilo colonial español del siglo XVI. Ofrece un poco de todo para el turista; cursos de español, gastronomía, historia, una arquitectura increíble y excursiones para los más aventureros – la respuesta a mis deseos.

Ya en Puno, a orillas del Lago de Titicaca, me sentí mareada por la altitud y tomé té de hojas de coca; refrescante y saludable aunque en mi vida hubiera pensado que tomaría coca. ¡Otra experiencia tanto cultural como moral!

Otra aventura fenomenal fue la isla de Amantani en el Lago de Titicaca donde pasamos la noche con una familia indígena. Llevamos provisiones básicas como arroz y azúcar porque siempre les hacen falta. Cocinan todo en una sola olla sobre un fuego de leña. Nos sentamos sobre un pedazo de madera a unos centímetros del suelo de barro compacto. De noche había una luz débil gracias a unos paneles solares que el gobierno acababa de instalar – por fin la tecnología moderna había llegado a aquel lugar remoto del planeta.

He ganado tanto de mi viaje; mucho más de lo que he dado seguramente. Me han maravillado las ceremonias, la arquitectura, la gastronomía. Me he quedado asombrada al ver la exactitud matemática de las enormes piedras colocadas en los monumentos antiguos. He aprendido que nuestra civilización actual debe mucho a las antiguas.

He pasado horas relajantes caminando por senderos rocosos y recibiendo masajes en las aguas calientes naturales al pie de Machu Picchu. ¡Y por fin, qué aventura subir a la cima de ese monumento sagrado y qué vistas tan espectaculares! Pasar cuarenta y ocho horas en casa de la gente isleña, tan gentil y generosa, me ha abierto los ojos a la vida dura y sencilla que llevan a diario. ¡Qué contraste con la mía con tanta abundancia y tan lujosa! Hasta he aprendido algunas palabras en quechua, su lengua indígena y prometo mantener el contacto con mis nuevos amigos.

A fin de cuentas tantos beneficios para mí pero ¿qué les he dado yo a ellos? No mucho; tal vez anhelan otra vida, otra ropa, otra comida, otras comodidades. Me pregunto si mi presencia ha cambiado su manera de pensar. Tal vez hubiera sido mejor dejarles en paz. Nosotros los turistas nos beneficiamos mucho de nuestros viajes pero me temo que con cada viaje que hacemos destruimos un poco más la vida de la gente indígena.

3a **Lee el blog de un viaje inolvidable y contesta a las preguntas.**

  1 ¿Qué fue lo que le impulsó a emprender este viaje?

  2 ¿Por qué le atrajo la ciudad de Cuzco? Menciona tres cosas.

  3 ¿Qué le pasó en Puno? ¿Por qué le llamó la atención?

  4 ¿Qué contrastes anotó sobre la isla de Amanatí?

  5 ¿Qué comentario hace sobre su viaje?

  6 ¿Cómo crees que se ha beneficiado de este viaje?

  7 ¿Cómo compara su vida con la de la gente indígena?

  8 ¿Qué aprendió de ellos?

  9 ¿Qué promesa hizo?

  10 ¿Qué preocupaciones expresa en el último párrafo?

3b **¿Estás de acuerdo con los sentimientos expresados? Escribe unas 150 palabras dando tus opiniones y razones.**

9 El mundo más pequeño

▶ *¡Cuántos cambios hemos visto en menos de medio siglo!*

 "Paga less, fly mejor"

Vueling es una aerolínea española de bajo coste. Tiene su base en Barcelona y sus orígenes se remontan a finales de 2002, cuando sus promotores realizaron estudios de mercado que confirmaban la viabilidad económica del proyecto.

El 16 de mayo del 2004 se pusieron a la venta los primeros billetes para viajar con Vueling, que entonces sólo poseía dos aeronaves A320. La campaña de promoción fue un éxito y se vendieron más de 50.000 vuelos en 15 días.

El 1 de julio de 2004, el primer vuelo comercial de Vueling despegó del aeropuerto del Prat, en Barcelona, para aterrizar en Ibiza. Hoy en día,

Vueling se valora entre 500 y 700 millones de euros, tiene una flota de una veintena de aviones, un equipo humano que sobrepasa los 800 empleados, 35 rutas y casi 100 vuelos diarios.

La venta de billetes se realiza vía internet y a través de la central de reservas de su servicio telefónico de atención al cliente.

A pesar de sus precios asequibles, con Vueling se vuela a los aeropuertos principales de cada ciudad y sus aviones llegan puntuales al destino.
A diferencia de otras aerolíneas de bajo coste, se puede escoger asiento al reservar el vuelo, y es posible viajar con toda la seguridad y comodidad que suponen sus A320 de última generación y sus pilotos con más de 2.000 horas de vuelo.

1a Uno de los cambios más notables ha sido la introducción de los vuelos de bajo coste. Lee el artículo y anota las ventajas y desventajas de las aerolíneas de bajo coste.

1b Discute tus ideas con un(a) compañero/a y reflexiona sobre:
- Aspectos prácticos – precios asequibles
- Atención al cliente
- Fiabilidad (puntualidad, seguridad etc.)
- Relación calidad – precio
- Responsabilidad social

1c Lee el artículo y busca las palabras o expresiones que significan:

lo mismo que …	lo contrario de …
1 compañía aérea	6 fracaso
2 aviones	7 aterrizó
3 actualmente	8 caros
4 supera	9 secundarios
5 barato	10 tarde

Gramática ➡172 ➡W63

Impersonal verbs – reflexive expressions

These verbs and expressions are used a lot in Spanish to avoid using the passive voice, which is used far more in English. Look back at page 34 for an introduction to this.

- If you use the reflexive, remember you must make it agree with the subject, singular or plural.

  En Perú se viaja menos que en el Reino Unido.

  En las ciudades españolas se usan distintos medios de transporte, como el metro, el autobús y el tranvía.

- Take care when referring to people – you need to add an object pronoun:

  Se culpó del robo means he blamed himself.

  Se le culpó del robo means he was blamed.

- Use the impersonal form 'they' – the third person plural form of the verb:

  Dicen que viajar nos hace más tolerantes.

  They say that travelling makes us more tolerant.

Ⓐ Find some examples in the text about Vueling.

Ⓑ Make up sentences of your own using the following:

Se cree que …   Se critica …

Se dice que …   Se teme que …

2a Escucha a la gente hablar sobre cómo ha cambiado la actitud de la gente hacia las vacaciones y toma notas. Copia y usa la tabla de abajo para ayudarte. Utiliza las iniciales para indicar quién habla (MM, LR, VG, AV, E).

	Cambios	Opinión
MM		
LR		

2b Escucha otra vez y anota con sus iniciales quién menciona:

1 El cambio legal que autoriza las vacaciones.
2 El hecho de que ya no hay que depender de una agencia de viajes.

3 El placer de viajar y conocer muchos sitios diferentes.
4 Los tiempos aquellos cuando había menos posibilidades de viajar.
5 El espíritu de aventura.
6 La cantidad de actividades y diversidad de experiencias.
7 Los tiempos aquellos cuando nadie más que la gente adinerada tenía la posibilidad de viajar.
8 La facilidad para planear un viaje.

2c Discute las ideas con un(a) compañero/a y añade otras ideas vuestras.

Técnica

Writing skills – organising ideas and facts for a structured response

- Time spent planning is crucial to good writing. For example, if you are required to write a response in 50 minutes, then allocate **at least** five minutes to planning.

A Work out a plan for both 1a and 1b. Take five minutes for each one.

1a How has low cost travel affected our attitude to holidaying?

1b Do the advantages of peoples' changing attitudes to holidays outweigh the disadvantages?

B Look back at previous pages of this unit and write down aspects you need to consider for both titles.

- With your plan in mind, draw a diagram to show your ideas on the subject. Here is an example for 1b.

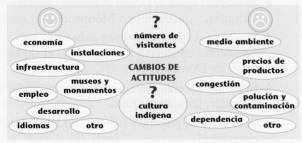

- economía
- instalaciones
- infraestructura
- museos y monumentos
- empleo
- desarrollo
- idiomas
- otro
- **?** número de visitantes
- **CAMBIOS DE ACTITUDES**
- **?** cultura indígena
- medio ambiente
- precios de productos
- congestión
- polución y contaminación
- dependencia
- otro

C List your ideas for 1a in a similar diagram.

- Classify your ideas into for, against or don't know/advantages, disadvantages, a bit of both.
- Always add concrete examples or facts for each idea.

- Now briefly revise your plan and make any changes you may feel necessary.

D Briefly revise your plan.

- Prepare vocabulary. Revise the unit so far and note down the key words and phrases.
- Use a variety of language and more complex structures. Look back at the Gramática sections and re-use the structures covered in your answers.
- Introduction: make a bold statement for or against – or a statement recognizing the complexity of the question.

  En primer lugar hay que decir/rechazar/considerar …

- Main body: balance your paragraphs in length and argument. Count your words carefully.
- Include plenty of opinions, justify them with examples of your own, and consider both sides of the argument.
- Conclusion: sum up by drawing ideas together and restate your stance.

  En resumen/Para resumirlo todo/Recapitulando/Lo anterior sirve para demostrar que …

E Now write a 300-word essay answering either question 1a or 1b, using the notes you have made for activities A–C and all the information in this section.

The three most important things to remember are:

1 Always answer the question asked, not an answer you have prepared in advance.
2 Use the pre-release material as a starting point, but then use facts and evidence of your own.
3 Make sure the facts and evidence refer to Spain or a Spanish-speaking country.

Extra

El impacto del Turismo sobre la Población Indígena de la Puna Andina

Para la mayoría de los campesinos indígenas el turismo rural es una actividad nueva para la cual <u>se han capacitado</u>, adquiriendo nuevos conocimientos que no sólo se limitan a la entrega de servicios al cliente, sino que la actividad es un aporte o <u>beneficio general</u> al desarrollo rural de la Puna Andina en ecosistemas de montaña.

La cultura, el foklore, las tradiciones ancestrales, la artesanía, la gastronomía son elementos que forman parte de la vida cotidiana de las comunidades y que <u>debidamente valorizados</u> representan un interés no solo para el visitante, sino también para las nuevas generaciones.

Un elemento fundamental es que al visitante le interesan los paisajes preservados, las especies animales y vegetales protegidas en su hábitat natural, información precisa y a su alcance. Este interés ha motivado acciones de valorización de los medios naturales por parte de <u>los comuneros</u>.

Es también necesario destacar el carácter recreativo y deportivo por las características geográficas de la Provincia del El Loa que cuenta con cuencas, desiertos y salares que permiten realizar <u>actividades complementarias</u> como turismo ecuestre, senderismo, montañismo, pesca, caza, ecoturismo y otros. Cabe mencionar además que las políticas regionales y la presencia de <u>Organizaciones no Gubernamentales</u> han convertido esta actividad eminentemente económica en una actividad con <u>relevancia social</u>, en cuanto el fin de la actividad es el mejoramiento de la calidad de vida y con ello tomar las <u>medidas de resguardo</u> frente a una actividad que sin regulaciones trae consigo un conjunto de vejámenes asociados a la prostitución, alcoholismo, drogadicción y mendicidad callejera de niños.

1a Busca las palabras en el texto que significan:

1 la gente que vive y trabaja en el campo

2 productos que se fabrican a mano para vender a turistas

3 la comida típica

4 fácilmente accesible

5 valles

6 caminar

1b Lee el artículo y lleva la cuenta de puntos positivos y puntos negativos.

Puntos positivos	Puntos negativos
l	

1c Ese artículo trata de un proyecto de turismo que privilegia el protagonismo de la población. Explica lo que significan las palabras subrayadas y lo que nos indican sobre el secreto del éxito del proyecto.

1d ¿Cuáles podrían ser las consecuencias del turismo en regiones remotas? Haz una lista positiva y una negativa.

2 Escucha el análisis sobre el turismo ecológico y compáralo con tus listas. ¿Hay más puntos positivos o negativos?

Técnica

Exploring and comparing different points of view (2)

In Unit 2 *Extra*, you looked at justifying your own point of view. In Unit 8 *Extra*, you focused on developing different points of view.

There are some questions which have real moral, social or economic implications, where it doesn't feel right to give a single answer and defend it. Acknowledging the complexity of problems and exploring them provokes a more sophisticated response. It also shows off your command of complex language. Think of tough questions as an opportunity to show what you can do.

● Explain why there's no easy answer.

● Show why our first reaction may not be appropriate.

● Give the point of view of specific people involved in the situation, without seeming to swing from one side to the other.

● Explore "what if" scenarios.

● Suggest who might be in a position to legitimately come up with a solution.

A Write 100 words to show the complexity of this question.

¿El eco turismo favorece la protección del medio ambiente y la cultura auténtica?

10 Entre familia

By the end of this unit you will be able to:

- Talk and write about the relationship between young people and other family members
- Discuss the role of parents and the importance of good parenting
- Give opinions on the changing models of family and parenting

- Use exclamations appropriately
- Use possessive pronouns
- Use the subjunctive to express purpose
- Use a monolingual dictionary
- Transfer meaning: explain in Spanish

Página	Tema
108	Actitudes y conflictos
110	Padres e hijos
112	La familia de hoy
114	Gramática en acción y vocabulario
116	Extra

Situaciones difíciles

¿Es posible que los jóvenes vivan en armonía con sus padres?

1a Con tu grupo, lee y decide qué merece cada situación (1–7).

¿Y qué?

¡Caramba!

¡Qué pena!

¡Trágame tierra!

1b Escoge una de las situaciones de 1a. Cambia los verbos a la tercera persona y escribe un párrafo para explicar exactamente lo que pasó y las consecuencias.

1c Prepara y representa la escena con un(a) compañero/a.

1. Le dije a mi madre que no fumo, pero encontró mis cigarillos en el bolsillo de mi chaqueta.

2. En un mes la factura del móvil fue de €150, y mi padre es quien la paga.

3. Mi madre tiene novio nuevo y los dos quieren salir conmigo y con mi novio.

4. Me hice el piercing del ombligo y no se lo dije a mi madre, pero luego se infectó y tuve que confesar.

5. A los dieciséis años no aguantaba vivir más con mi madre, asi que me fui a vivir con mi novio.

6. A mi madre no le gusta que no le diga cuando voy a llegar tarde, pero yo paso de todo.

7. Si mis padres quieren regañarme, me voy a mi dormitorio y hablo con mis amigos en el "chat".

Actitudes y conflictos

▶ ¿Es posible que los jóvenes vivan en armonía con los padres?

Gramática ➡163 ➡W13

Exclamations

¡Qué horror! ¡Qué hijo tan ingrato!

How awful! What an ungrateful child!

- Always put an exclamation mark at the beginning and end.
- Don't forget the accent on the exclamative word:

  ¡Qué desastre! ¡Cómo me molesta!
  ¡Cuántas mentiras dice!

- When the adjective follows a noun, *más* or *tan* is needed:

  ¡Qué chico más guapo! ¡Qué situación tan complicada!

A Use the Frases clave and write an exclamatory sentence for each of the illustrated situations below.

Frases clave

romántico	tierno
necio	impulsivo
simpático	antipático
violento	

1a Escucha a los tres adultos. ¿De cuál de estas escenas hablan?

1b Escucha a los jóvenes. ¿De qué escena hablan? ¿Cuál es su excusa?

2 Imagina que tus padres te regañan por uno de los siguientes incidentes. Escribe tu versión de lo ocurrido.

a Te montaste en moto sin permiso.

b Tu profesor llama a tu casa para hablar con tus padres sobre algo que pasó en el instituto.

c Compraste un perro sin decirle nada a tu madre.

3a Lee la carta e identifica en qué párrafo se mencionan:

a el futuro
b la comunidad
c la autoridad
d los pasatiempos de los jóvenes

Cartas de los lectores

Señor:

Hoy el mayor problema de España son sus jóvenes.

1 Parece que se educaron sin que nadie les inculcara los principios morales fundamentales. Estos se han reemplazado por la desgana, la vanidad y el materialismo. Actúan sin el menor respeto a la autoridad. No hacen caso a nadie, ni siquiera a sus padres, a quienes les deben todo. No conocen la autoridad ni tampoco la responsabilidad: hacen lo que les da la gana.

2 En mis tiempos, la escasez no nos permitía holgazanear. Pero ellos, ¿a qué se dedican? Ni a estudiar ni a trabajar: al sexo, a la violencia y a las drogas. Lo siento, pero es la verdad.

3 Se dice que la vida está cada vez más difícil pero eso no justifica que los jóvenes se rindan y no luchen por la posibilidad de un futuro mejor. ¿Cómo puede ser que renuncien a su potencial y a sus responsabilidades? Su actitud hacia todo es sentarse delante del televisor o el ordenador y decir "Paso de todo"*.

4 Antaño no teníamos alternativa y teníamos que trabajar desde muy mozos. Pero parece que a los jóvenes de hoy no les conviene ni dedicarse a sus estudios ni aprender un oficio. ¿Entonces qué esperan ofrecer a la sociedad? No contribuyen con nada. Quieren tener de todo, pero no están dispuestos a hacer el más mínimo esfuerzo para conseguirlo.

Delia Arruga
A Coruña

paso de todo *I can't be bothered*

3b ¿De qué se acusa a los jóvenes en el texto?

son perezosos	son vanidosos
son ingratos	son obstinados
son inmaduros	son cobardes
son egoístas	son unos degenerados
son desobedientes	

3c ¿Cómo se justifican las acusaciones?

Ejemplo: Dice que los jóvenes son perezosos porque no estudian ni trabajan.

4a Escucha las reacciones de Nuria, Miguel, Marta y Antonio a la carta de Delia. ¿Cómo responden a la opinión que tiene Delia de los jóvenes? ¿Están de acuerdo?

4b ¿Qué valores positivos de la juventud mencionan?

5 Debate: La juventud de hoy contra la juventud de ayer. ¿Cuáles son sus puntos fuertes y sus debilidades? Presenta tu argumento a tus compañeros/as y razona con ellos/ellas.

6 Escribe una carta para defender a los jóvenes. ¡Debes incluir estructuras en subjuntivo!

10 Padres e hijos

> *El papel del buen padre es dar el buen ejemplo.*

1a Escucha a los cinco jóvenes. Decide si hablan de la **familia** o de **amigos.**

1b Escucha otra vez. ¿Sus comentarios son positivos o negativos?

1c Utiliza las frases clave para explicar a un(a) compañero/a cómo te llevas con tu familia o tus amigos.

Frases clave

Me llevo bien/mal/mejor con …

Discutimos a veces a causa de …

(No) confío en ellos, por ejemplo cuando …

Con mis padres/amigos siempre …

2a Lee el texto sobre la familia de Montse. Relaciona cada generación con su descripción.

1 Los primeros en recibir una educación

2 Los primeros que no tuvieron que hacer un esfuerzo para mejorar su vida

3 Los primeros en ir a vivir a la ciudad

sus abuelos   **sus padres**

los jóvenes de hoy

Considero que me llevo bien con mi familia pero a veces no me explico por qué no nos entendemos. He tratado de investigar las diferencias entre nuestras formas de vida:

2 Mis padres

Mis padres crecieron en la ciudad. Sus padres insistieron en que sus hijos recibieran lo que ellos no habían recibido: una educación adecuada. Eran a la vez la generación con nuevas libertades sociales, y el poder económico para disfrutarlas. Nuevos conceptos surgieron: el ocio, los derechos de las mujeres, las vacaciones, invertir para la vejez, comprar una casa en el campo.

1 Mis abuelos

Mis abuelos paternos nacieron y se conocieron en un lugar que se llama Zamarramala, pero dejaron el campo para irse a vivir a Barcelona, en busca de mejores condiciones de vida. Mucha gente se había ido ya a América o a Europa. Para ellos la ciudad era un lugar extraño, pero cualquier trabajo era bueno si les permitía dar de comer a la familia.

3 Mi generación

Siento que vivimos en un mundo cambiado. Es un mundo internacional. Mi padre trabaja para una empresa alemana, tenemos un coche francés, vamos de vacaciones a Australia, y en el instituto estudio dos idiomas extranjeros. Pero tal vez no doy la prioridad que debería a mis estudios. Mi generación es la primera que parece contenta con lo que tiene. No tenemos ganas de cambiar el mundo, pero me pregunto si nuestro mundo no va a seguir cambiando a pesar de nosotros.

2b ¿Quién habla?¿Montse, su madre o su abuelo?

  1 "Lo más importante es la familia y el trabajo."

  2 "He visto grandes cambios en la sociedad."

  3 "Soy española, europea, y ciudadana del mundo."

2c Busca ejemplos en el texto para confirmar tus respuestas.

Gramática   ➡️ 157 ➡️ W28

Possessive pronouns

● *El mío, el tuyo, el suyo, el nuestro, el vuestro, el suyo* are used to replace a noun:

Mi padre es más rico que tu padre. →
Mi padre es más rico que el tuyo.

● Remember that the ending of the adjective or pronoun agrees with the object or person possessed, not the owner.

Mi madre es más distraida que la suya.

Sus abuelos no conocían a los nuestros.

(A) Choose the correct form for these sentences.

  1 Mi abuela vivía en una casa cerca *del nuestro/de la mía.*

  2 A mi padre no le gusta que yo tenga un coche mejor que *el mío/el suyo.*

  3 En la casa de mi amigo tienen un televisor idéntico *al nuestro/a la nuestra.*

  4 Su vida es muy diferente *a la nuestra/al nuestro.*

---

3 Sustituye las palabras subrayadas con la forma correcta del pronombre posesivo.

Ejemplo: 1 la suya

1 Montse dice que sus abuelos tenían una vida muy diferente a <u>su vida</u>.

2 Los padres de Montse tuvieron una educación mejor que <u>sus padres</u>.

3 Montse dice que la generación de sus padres era más trabajadora que <u>su generación</u>.

4 Montse dice: "La generación más apática es <u>mi generación</u>."

5 Su padre dice: "La generación más afortunada es <u>tu generación</u>."

4a Lee la lista de las cualidades necesarias para ser un buen padre o buena madre. Añade otras ideas tuyas.

flexibilidad · sinceridad · paciencia · tolerancia · eficiencia · estabilidad · autoridad · comprensión · responsabilidad

4b Compara tu lista con la de un(a) compañero/a y discute las diferencias.

Prepara un juego de tarjetas así:

Pon las tarjetas en forma de diamante, colocando arriba las más importantes y abajo las menos importantes. Si quieres mover una tarjeta, tienes que explicar por qué.

Organiza las tarjetas según lo que opinas tú, luego lo que opina tu compañero/a. Utiliza las frases clave.

Ejemplo: "Creo que la paciencia es la cualidad más importante porque …"

Frases clave

Es importante que …	Debería ser …
Lo crucial es …	Es de suma importancia que …
Es imperativo que …	

---

5 Escoge un punto de vista para defender en un debate:

"Los problemas entre las generaciones son normales y universales."

"Los problemas entre las generaciones son provocados por cambios específicos en la sociedad."

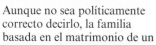

La familia de hoy

▶ ¿El núcleo familiar cambia o sigue igual?

Preguntamos a dos de nuestras lectoras, "La familia española: ¿Está en crisis?"

Paula Echeverría

La familia española está en crisis, minada desde el interior por la reducción drástica en el número de hijos, y atacada por los valores públicos – la independencia y el trabajo fuera del hogar.

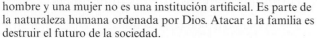

Aunque no sea políticamente correcto decirlo, la familia basada en el matrimonio de un hombre y una mujer no es una institución artificial. Es parte de la naturaleza humana ordenada por Dios. Atacar a la familia es destruir el futuro de la sociedad.

La familia da el contexto humano al hombre. Le da sus raíces, su identidad. Un individuo que vive en aislamiento, sin familia, experimenta la soledad, la desesperación y la frustración. Bajo la impresión de una autodeterminación personal, cae víctima de las modas pasajeras y los modales de turno.

Gregoria Danvers

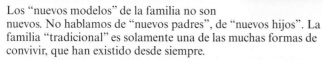

La familia no está en crisis. Tal vez hay una crisis de algunos valores que se han asociado con la familia, pero el matrimonio religioso o civil sigue siendo la base de la relación del 97% de los hogares. Los españoles dan una puntuación de 9,37 sobre 10 a la importancia de la familia.

Los "nuevos modelos" de la familia no son nuevos. No hablamos de "nuevos padres", de "nuevos hijos". La familia "tradicional" es solamente una de las muchas formas de convivir, que han existido desde siempre.

La unidad familiar es el mejor contexto para la estabilidad psicológica, emocional y educativa de todos sus miembros, padres e hijos.

Con 1,2 hijos por mujer, España tiene una tasa de natalidad bajísima. El gobierno necesita dar más incentivos para tener hijos. Las mujeres hemos logrado integrarnos al mundo del trabajo. Ahora debería haber más flexibilidad para que hombres y mujeres puedan dedicarse a los hijos y volver al trabajo cuando puedan o cuando quieran.

1a Lee los textos y decide si Paula y Gregoria están de acuerdo sobre los siguientes puntos.

Ejemplo: "La familia está en crisis." – No están de acuerdo.

1 Una familia consiste en una pareja casada y sus hijos.

2 Los valores asociados con la familia han perdido importancia.

3 Los españoles no respetan el matrimonio como base de la familia.

4 El descenso en el número de hijos afecta a la familia.

5 La familia es el marco de preferencia para educar a los niños.

6 El hecho de que las mujeres trabajen ha afectado a la familia.

1b Decide si las siguientes opiniones son de Paula o de Gregoria.

1 Las mujeres deben quedarse en casa y cuidar a los niños.

2 Las parejas deben casarse por la iglesia.

3 El valor de la familia no es como "institución", sino está en las relaciones personales.

4 La sociedad da más importancia que el gobierno a la familia.

5 Necesitamos valores constantes en un mundo que cambia.

1c Escucha y decide si habla Paula o Gregoria.

Gramática ➡ 170 ➡ W53

The subjunctive to express purpose

The subjunctive mood is also used to express purpose after conjunctions such as *para que, a fin de que, de manera que* and *de modo que* when the meaning is not result but purpose:

*Mis abuelos decidieron ser muy estrictos **para que** mis padres **se portasen** bien, según ellos.*

My grandparents decided to be very strict so that my parents would be well behaved, according to them.

A Indicative or subjunctive? Think about whether it is referring to **result** or **purpose**.

Read the following sentences and decide which of the two verbs is correct. Then translate the sentences into English.

1 Mi marido no quiere que vaya a trabajar para que *cuido/cuide* de sus padres ancianos.

2 Nunca he ido a trabajar para que mis hijos *tuviesen/tuvieron* una persona en casa al regresar del cole.

3 Los adolescentes de hoy son bastante descarados de manera que a menudo *faltan/falten* al respeto a los mayores de edad.

4 Debemos ser más estrictos con ellos para que *aprenden/aprendan* a ser más respetuosos.

5 Mis hermanos eran muy traviesos de chiquitos así que siempre *estaban/estuviesen* de pelea.

Técnica

Using a monolingual dictionary

- Some words can cause confusion as they have the same spelling but may have more than one meaning:

  la muñeca   *la tienda*

- Some nouns have the same spelling but a different gender and vary their meaning depending on the gender:

  la corte   *el corte*

  Other examples are:

  el cabeza/la cabeza   *el capital/la capital*
  el cura/la cura   *el final/la final*

- Some nouns are very similar but again have different meanings depending on their gender:

  el libro/la libra   *el cuento/la cuenta*
  el modo/la moda   *el rato/la rata*

- Some words have different meanings depending on whether they are used in the singular or plural:

  el deber/los deberes

- Some words look like words in English but don't have the same meaning. These are often called false friends (*amigos falsos*):

  sensible; actual; librería; realizar; carpeta; casual; concreto; dato; embarazar

A Study some of the examples from each section above then look up the meanings of the words in a monolingual dictionary.

- You may well know some of the words used in an idiomatic phrase but not know the meaning of that particular phrase:

  charlar por los codos

  llamar al pan, pan y al vino, vino

  llevarse como el perro y el gato

B Try to work out the intended meaning or English equivalent of the phrases above.

So ...

Use a monolingual dictionary to

- find which meaning best fits a particular context
- find definitions of words and explanations about them
- check the meanings of false friends
- find the meaning of a word used in an idiom
- look for synonyms

2a Escucha la entrevista cuantas veces sea necesario y completa las frases.

1 La mujer española ...
2 La familia hoy en día ...
3 Las tradiciones de antaño ...
4 Los niños...
5 Hace veinte años ...
6 La estabilidad ...
7 Las relaciones familiares ...
8 Las familias siempre ...

2b Compara como era la familia hace medio siglo con como es hoy en día. Discute tus ideas con un(a) compañero/a y escribe cinco aspectos sobre la familia tradicional y cinco aspectos de como ha cambiado.

3 Utiliza esta unidad para preparar respuestas a las siguientes preguntas. Evalúa a un(a) compañero/a.

Ideas, opinions, relevance /10	Fluency, spontaneity /10	Range of language /5

¿Cuáles son los principales motivos de conflicto en las familias?

¿Hay diferencias de valores entre los jóvenes y sus padres?

¿Qué es lo más importante para los jóvenes?

¿Qué es lo más importante para que las familias se lleven bien?

¿Qué es más importante: los amigos o la familia?

¿El matrimonio es importante?

¿Qué es lo más importante para convivir sin problemas?

¿Existe la familia típica?

4 Escucha a Freddy y evalúa su respuesta.

5 "Los jóvenes no valoran a la familia: ni a las personas, ni la idea de familia."
¿Estás de acuerdo con esta afirmación? Escribe una respuesta.

Recuerda ➡161

Different types of pronoun

- A **pronoun** is a word that can be used instead of a noun, an idea or even a whole phrase. It helps to avoid repetition. Reread page 60 to remind yourself about previous work on pronouns. Here are some more pronouns you will find useful.

- **Disjunctive pronouns** follow a preposition. Remember with the preposition *con* you use *conmigo, contigo, consigo*. A few prepositions are used with a subject pronoun: *entre tú y yo, según ella.*

- **Relative pronouns** refer to something or someone that has already been mentioned. They are never left out of the sentence in Spanish as they often are in English. To produce a coherent piece of writing you will need to use relative pronouns to avoid repetition and to link your sentences. When a relative pronoun is preceded by the prepositions *a, de, en* or *con* you use *que* for things and *quien* for people. After other prepositions *el cual, la cual, los cuales, las cuales* are used. *Donde* is also used as a relative pronoun.

  Lo que and **lo cual** refer to a general idea or phrase rather than a specific noun.

- **Neuter pronouns** – *eso* and *ello* refer to something unspecific such as an idea or fact.

- **Possessive pronouns** – see page 111.

Recuerda ➡169

The subjunctive to express purpose

If you write a sentence containing one of the conjunctions from the list below, you need to decide whether the verb after the conjunction should be in the indicative or the subjunctive mood.

para que	in order that
a fin de que	with the purpose that
de manera que	so that
de modo que	so that

If your sentence expresses purpose or intention, use the subjunctive. If it expresses a result or consequence, use the indicative.

Contrast these two sentences in English.

1 Mother grounded us so that we would learn a good lesson.
2 Father got so angry with my sister so that she ran away from home.

The first one expresses the reason why or purpose of being grounded.

The second one tells you what the result was of being shouted at.

*Mi madre nos regañó **para que aprendiéramos** la lección.*

*Mi padre se enfadó mucho con mi hermana **de manera que ella se largó** de la casa.*

A Translate the following sentences into Spanish.

1 Pablo do you want to come home with us for tea?
2 The boy I met in Málaga has just sent me an email.
3 There is a concert in the town I was born in.
4 I lent her my iPod because she had forgotten hers.
5 I've paid for my ticket for the concert but I'm not going to pay for yours.
6 My grandparents lived in a world in which time stood still.
7 The friend he was talking about is very famous now.
8 The problem you are referring to is a very serious one.
9 The house we wanted to buy has already been sold.
10 My grandparent's house, which is in Barcelona, is too small.

B Decide whether the verb should be in the subjunctive or the indicative then translate the sentences into Spanish.

1 I missed the last bus so I arrived home well after midnight.
2 I opened the front door quietly so that my parents wouldn't hear me.
3 As I went upstairs I fell over the dog and made so much noise that the whole house woke up.
4 I tried to say sorry so that my parents would be less annoyed.
5 I knew my sister had left the dog there so that I would trip over it.
6 In the end my parents understood that I had learnt my lesson so they made no more fuss.

Vocabulario

Actitudes y conflictos — *pages 108–109*

un botellón	*booze up/drinking session*
la desgana	*lack of enthusiasm*
el/la mozo/a	*young child*
la novia	*girlfriend/bride*
el novio	*boyfriend*
los principios	*principles*
aguantar	*to put up with*
conseguir	*to attain/get*
dar la gana	*to please*
enfadarse	*to get angry*
enterarse de	*to get to know/discover*
equivocarse	*to make a mistake*
hacer caso de	*to pay attention to/heed*
holgazanear	*to laze about*
inculcar	*to instil values*
luchar	*to struggle*
reemplazar	*to replace*
regañar	*to scold/tell off*
borracho/a	*drunk*
equivocado/a	*wrong*
antaño	*long ago*
en lugar de	*instead of*
ni siquiera	*not even*
sin permiso	*without permission*

Padres e hijos — *pages 110–111*

las normas	*house rules*
el roce	*friction*
las tonterías	*nonsense*
la vejez	*old age*
callar(se)	*to keep quiet*
compartir	*to share*
dar de comer a	*to feed*
dejar en paz	*to leave in peace*
discutir	*to argue*
disfrutar de	*to enjoy*
escandalizarse	*to get upset*
evitar	*to avoid*
interesarse por	*to be interested in*
llevarse bien/mal	*to get on well/badly*
mentir	*to lie*
pelear	*to fight/quarrel*
reprochar	*to reproach*
tomar en serio	*to take seriously*
apático/a	*apathetic*
a pesar de	*in spite of*

La familia de hoy — *pages 112–113*

el decenso	*decline*
el marco	*framework*
la pelotera	*fight/quarrel*
las raíces	*roots*
el respaldo	*backup*
la soledad	*solitude/loneliness*
la tasa de nacimiento	*birthrate*
conjugarse	*to conjugate/manage together*
convivir	*to live together*
cuidar de	*to look after*
destruir	*to destroy*
hacer falta	*to lack*
largarse	*to run away*
sobrellevar	*to manage/survive*
sobrevivir	*to survive*
ambos/as	*both*
atacado/a	*attacked*
descarado/a	*rude*
minado/a	*threatened*
monoparental	*single family*
pasajeras	*passing/fleeting*
antaño	*yesteryear/long ago*
en aislamiento	*isolated/in isolation*
fuera del hogar	*outside the home*
por supuesto	*of course*

Rellena los espacios en las frases siguientes con la forma adecuada del verbo o de la palabra entre paréntesis.

1 Escondí mis cigarillos para que mi hermano menor no los _____. (encontrar)

2 Siempre me llevaba bien con mis padres de modo que nunca _____ roces ni malentendidos. (tener)

3 Hay que compartir los problemas a fin de que la familia _____. (comprenderse)

4 Mis abuelos siempre regañaban a mis hermanas por ser tan _____. (holgazán)

5 Ellas a su turno se quejaban de mi abuela porque decían que era muy _____. (parlanchín)

El amor en la familia

La sociedad tradicionalmente ha establecido que mujeres y hombres tengan diferentes funciones, tareas, responsabilidades, gustos e intereses. A las mujeres se ha asignado estar en casa al cuidado de la familia, hacer las labores domésticas, ser tiernas, dependientes, quietas y afectuosas. A los hombres ha correspondido trabajar fuera del hogar, aportar el dinero para las necesidades materiales de la familia, ser inteligentes, agresivos, conquistadores e independientes.

Estos comportamientos han sido transmitidos de las abuelas y abuelos a sus hijas e hijos y de éstos a las nietas y nietos. Se aprenden imitando actitudes, formas de vestir, el trato diferenciado a las niñas y a los niños, actividades que unas y otros realizan en la casa, en la escuela y en la comunidad.

Aunque hay diferencias biológicas, hoy sabemos que la mayoría de las formas de actuar de hombres y mujeres son aprendidas y por lo tanto pueden cambiar. Esto ha llevado a pensar que la desigualdad en las posibilidades que tienen las mujeres y los hombres para desarrollar capacidades, destrezas y habilidades puede ser superada. Tener trabajo, educación y salud por lo general se ha dificultado más a las mujeres que a los hombres, pero la sociedad y cada persona, en particular los padres y las madres de las nuevas generaciones, pueden hacer mucho para que esto siga cambiando. Afortunadamente, las sociedades avanzan y cada vez es más claro que los comportamientos pueden ser no exclusivos de un género o de otro.

1a Lee el texto del libro de educación de adultos. Pon las frases (1–5) en orden de acuerdo con el texto.

1 Las mujeres han tenido menos oportunidades que los hombres.

2 Los comportamientos se aprendieron a través de diferentes generaciones.

3 Los hombres y las mujeres tenían diferentes papeles.

4 Los padres deben cambiar la forma de educar a sus hijos.

5 Se dice que las diferencias vienen de la forma de educarse, no son innatas.

1b Escoge tres frases del texto para resumir su argumento.

2a 🔊 Escucha un ejemplo tomado del libro "Amor en la familia". Apunta en inglés los nombres de los miembros de la familia, quiénes son, qué hacen, y qué dicen.

2b ¿Qué consejos darías a Pablo? ¿A Lupe? ¿A Noemí?

Técnica

Transferring meaning – explaining in Spanish (2)

In Unit 5 you looked at how to explain information from a text in your own words. Another part of this skill is transferring meaning to make material suitable for a particular audience. Both types of transferring meaning usually involve simplification. In the text above, the target audience is parents in remote and traditional communities in rural Mexico. Here is a checklist of things to think about:

1 Are there phrases that the audience will not understand? If so find alternative ways of saying them – this will often mean more words!

2 Is there any technical or specialised vocabulary? Make sure this is explained – in this case you may like to include the term but put the explanation in brackets.

3 Are there ideas in there that may be new or even unacceptable to the audience? Make sure these are expressed in a sympathetic way, don't just insist that they are the only solution.

4 Can you explain concepts with real examples? This always aids understanding.

A The underlined sentences are not ideal for this audience. Read and decide which of these problems 1–4 (above) applies to each sentence.

B Pick three of the underlined sentences to rewrite. Make them more suitable for the audience.

C Write about 100 words, targeted at parents like Lupe and Pablo, to explain how to treat their sons and daughters fairly.

11 Amistades

Los jóvenes de hoy

1 Completa el acróstico con adjetivos que describan a un buen amigo. Aquí tienes algunas ideas. Usa un diccionario y añade otras palabras tuyas.

loyal	intelligent
happy	modest
patient	funny
caring	daring
extrovert	confident
well-mannered	generous
wise	adventurous
helpful	

2a ¿Qué papel deben desempeñar los amigos y por qué? Escucha y anota los comentarios de cada persona.

2b ¿Estás de acuerdo? Escribe cinco frases tuyas con razones.

Ejemplo: ¡Me parece que los amigos deben ayudarte con las tareas del colegio para que aprendas con más facilidad!

117

Amistades en conflicto

▶ *¿Por qué reñimos? ¿Es una cuestión de los diferentes valores que cada uno mantiene?*

1a Escucha y decide de qué icono hablan.

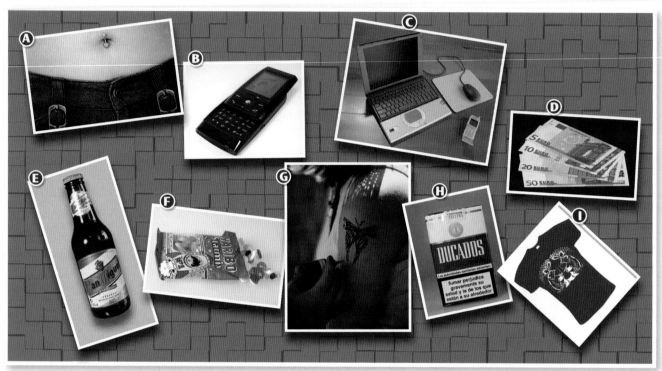

1b Lee y completa la ficha para los tres jóvenes.

Los iconos mencionados	El icono más importante	Razones

Héctor

Yo creo que el dinero es lo que mejor simboliza a esta generación. Los jóvenes dependen de la paga que reciben semanalmente de sus padres y no tardan mucho en gastársela. Quieren rebelarse, sí, pero más contra sus padres que contra la sociedad. Todo lo que hacen para rebelarse cuesta dinero: beber, comprarse ropa, tecnología, salir. Sólo piensan en gastar, o aun más, estar a la moda. De hecho, creo que son menos rebeldes que sus padres.

La ropa, los piercings, los cigarrillos son importantes, sí, pero para mí el móvil es más importante. Los jóvenes somos por naturaleza muy comunicativos, los chicos casi tanto como las chicas. Con el teléfono nunca estás solo, aun menos con los mensajes y las fotos que puedes enviar. Es algo realmente nuestro: los padres no lo entienden. Mi madre tiene móvil, pero siempre lo lleva apagado.

María Elena

Marco Antonio

¿Sabes qué? Yo creo que serían las chucherías, los dulces que comemos todo el tiempo sin darnos cuenta. Es una forma de recordar que en el fondo somos niños. Los tatuajes y los piercings son lo mismo, pero más pesado. Es una forma de rebelarse, sí, pero también de reclamar atención. Comer tantos dulces es una forma de negar las responsabilidades … las consecuencias, un poco como fumar, si quieres. No queremos hacer lo que nos mandan, pero tampoco queremos actuar como adultos.

1c ¿Cuáles son tus propios iconos? Explica por qué son tan importantes.

Técnica

Adapting information from texts

When you use information from texts, it is important to re-organise it coherently.

- Make a list of points. It will help if your points focus on the main ideas, not the specific examples.

A Separate these into ideas and examples:

el alcohol	Internet	el tabaco
la comunicación	la tecnología	los dulces
la rebeldía	el dinero	el móvil
el consumismo	la ropa	los tatuajes

- Each of your points needs to contribute to the whole answer. Watch out for conflicting points of view and handle them carefully.

B Read these examples and complete the grid.

Los jóvenes …
1 quieren rebelarse.
2 quieren tomar sus propias decisiones.
3 no quieren que les traten como niños.
4 son muy conscientes de su imagen y quieren sentir que pertenecen a un grupo y no son diferentes de los demás.
5 no quieren que les digan qué tienen que hacer.
6 no quieren actuar como adultos.

Algunos dirían que …	pero se podría decir que …
Los jóvenes no quieren que les traten como niños.	Los jóvenes no quieren actuar como adultos.

La paradoja es que …	y a la vez …

- When you do give examples, be clear what they are showing. Look at the difference:

"Otro ejemplo es el dinero."

"Otro ejemplo del consumismo de los jóvenes es su actitud hacia el dinero."

"Un ejemplo es el tabaco."

"A los jóvenes les gusta rebelarse. Eso se ve en el uso del tabaco, que …"

C Make better use of these examples:

1 Por ejemplo, los jóvenes quieren comprar un coche.
2 Un ejemplo es la ropa.
3 La cortesía y el respeto son otro ejemplo.

- Change the verbs from the first person to the third.

Somos muy comunicativos → Son muy comunicativos

- Use impersonal verbs (see page 102).

D Complete these sentences:

1 A los jóvenes no les interesa …
2 A los jóvenes les importa mucho …
3 A los jóvenes les fascina …

- Use expressions that sum up or introduce information:

Muchos jóvenes …

Algunos dirían que …

Podrías pensar que …

Según …

2 Escucha la tertulia sobre los conflictos entre los jóvenes. Anota las cinco causas de conflicto mencionadas y una posible solución para cada uno.

Causa	Resolución
las drogas	

3 Utiliza la información de estas páginas para escribir una respuesta a las siguientes preguntas:

- ¿Qué es lo que une a los jóvenes?
- ¿Qué es lo que provoca conflictos entre ellos?

Escribe unas 100–125 palabras sobre cada pregunta.

Mis amigos y yo

▶ *Es tan importante saber hacer amigos como tenerlos ya.*

1a  Escucha a Javier hablar sobre la importancia de los amigos y contesta a las preguntas.

1 ¿A cuántos problemas dice que se enfrenta? ¿Cuáles son?

2 ¿Cuántas ideas tiene para hacer amistades?

3 ¿Son ideas razonables y sensatas, en tu opinión? Explica por qué sí o no.

1b Completa las frases 1–6 con los finales a–f según lo que dice Javier.

1 ¡Ojalá tuviera	**a** buscar nuevos amigos.
2 No le importa que	**b** no les interese el deporte.
3 No le gusta	**c** cómo ponerse a conversar.
4 Encuentra difícil	**d** es un fanático de la música.
5 No sabe	**e** andar solo durante el recreo.
6 La realidad es que	**f** mogollón de amistades!

Técnica

Dealing with cloze tests

When dealing with exercises where you are required to fill in a gap to complete a sentence remember:

1 Read the sentence carefully.

2 Pay attention to gender and number.

3 Pay attention that endings match the person or object talking or being talked about.

4 Check that the tenses within the sentence are consistent and convey meaning.

5 Check that your spelling and use of accents is correct.

A Which of the bullet points 1–5 did you use when you chose the endings for the sentences in 1b above?

B Complete each sentence below with the correct form of the word in brackets.

1 Si tienes una familia …… no necesitas a tantos amigos. (cariñoso)

2 Es importante que …… a los nuevos estudiantes a integrarse. (ayudar)

3 Los jóvenes son bastante …… por naturaleza. (comunicativo)

4 A los jóvenes …… padres les rechazan hay que ayudarles. (cuyo)

5 A veces los chicos son más …… con sus tatuajes que las chicas. (audaz)

2 Lee la agenda secreta de Javier y contesta a las preguntas en español.

1 ¿Por qué Javier estaba decepcionado?

2 ¿Qué le pasaba al chico que encontró Javier al llegar al cole?

3 ¿Cómo reaccionó Javier?

4 ¿Qué hizo después?

5 ¿Cómo terminó el asunto?

6 ¿Qué concluye Javier?

No es tan fácil como pensé hacer amistades cuando llegas a un sitio nuevo y todos ya han formado sus grupos. ¡Fui al club de música después de clases y descubrí que había un grupo de roqueros que necesitaban otro guitarrista y me ofrecí y claro me dijeron que iban a ver! Con esto quieren decir que no están seguros de si me quieren aceptar o no. ¡Decepcionante!

Hoy martes al llegar al cole vi a un chico totalmente aislado de todo el mundo. Era bajito y parecía bastante tímido y cómo que tenía miedo de entrar en el aula. Me acerqué y le sonreí pero no me hizo caso. Me quedé observándole durante la clase y decidí tratar de hablarle durante el recreo porque estaba determinado a enterarme de lo que le pasaba. Cuando el profe le preguntó algo me di cuenta en seguida. Un grupo de chicos malvados se echaron a reír mientras que las chicas cuchichearon maliciosamente y el pobre muchacho tartamudeó la respuesta. Claro el profe no quiso hacerle mal pero ya era demasiado tarde. Descubrí que se llamaba Antonio y a la hora del recreo le seguí al patio. Le ofrecí un chicle y me puse a charlar sobre no sé qué cosa solamente para atraer su atención. Al principio me contestaba con monosílabos pero poco a poco me empezó a hablar con palabras cada vez más largas. Al rato descubrimos que simpatizábamos en gustos musicales y quedamos a la salida de clases.

¡Por fin me parece que ya tengo un amigo aquí! A fin de cuentas no era tan difícil y a veces vale la pena hacer el esfuerzo porque yo me hice un favor pero estoy convencido de que le hice a él un favor también. Es verdad lo que dicen:

Normalmente no tienes la oportunidad de escoger a tu familia pero siempre puedes escoger a tus amigos.

3a Lee los textos A–D y decide cuál de las dos respuestas de abajo responde mejor a dos de las cartas. ¡Cuidado sobran dos cartas!

3b Sigue los ejemplos y escribe respuestas a los dos textos que sobran. Usa tus propias palabras.

El buzón de las amistades ...

A

Llevo tres años en un nuevo colegio y todavía no he podido encontrar a nadie que quiera ser mi amigo o amiga. Cuando llegué a este pueblo acababa de recuperarme de la varicela y tenía la cara llena de picadas de viruela y creo que es por eso por lo que nadie me quiere. Antes que me pasara eso era una persona alegre y extrovertida y ahora me siento tan deprimida. ¿Qué hago? porque empiezo a desesperarme.   *Ana (Córdoba)*

B

Tengo un buen grupo de amigos con quienes salgo los fines de semana desde hace años pero ahora resulta que se quedan afuera hasta pasada la medianoche aun durante la semana y claro mis padres me regañan porque insisten que así se empiezan a coger malas costumbres. Mis amigos no me hacen caso cuando trato de explicarles mi situación y hasta me toman el pelo. Ayúdame por favor.   *Leonardo (Zaragoza)*

C

Quisiera ayudar a mi mejor amigo porque me parece que va a encontrar problemas cuando vaya a la universidad en octubre. Yo le comprendo y le quiero mucho porque siempre ha sido leal y honesto conmigo pero sé que habla mal de otros en nuestro grupo y hasta dice mentiras acerca de lo que hacen. No entiendo por qué actúa de esa manera. ¿Qué me aconseja que le diga para que deje de abusar de las amistades de esa forma?   *Vicente (Málaga)*

D

¡Hay un chico muy guapo en nuestro curso y bien lo sabe! Todas las chicas están locas para salir con él y pasan todo el día tratando de atraer su atención. Hace poco me mandó un mensaje lleno de piropos diciendo que yo le gustaba y quería invitarme a ir a una fiesta. No sé qué contestarle porque no quiero que mis amigas tengan celos pero al mismo tiempo me siento tentada aunque posiblemente sea un error.   *Marisol (Valencia)*

Vosotros respondéis ...

1 *Es muy importante tener amigos de tu propia edad para poder compartir tus problemas. No disimules tu carácter. ¡Ten coraje y enfréntate a tus demonios!*

2 *Siempre es mejor hablar claramente de los problemas. Trata de ser honesto con tus amigos para que aprendan a apreciar tu amistad.*

Gramática W67

Time clauses

- On page 67 we learnt the use of time clauses with *hace, hacía, llevar* and *desde hace*. You should revise their use and always take care when translating 'for' or 'since'.

- When a clause is introduced by *mientras (que), en cuanto, hasta que, tan pronto como* and *cuando* you need to consider whether it needs the indicative or subjunctive:

  Use the subjunctive mood when the clause doesn't refer to a definite fact or it refers to a future possibility which may or may not happen. Use the indicative when the event has already happened:

  Buscaré un nuevo grupo de amigos en cuanto (que) vaya a mi nuevo colegio.
  I will look for a new set of friends as soon as I go to my new school.

  But:

  Busqué un nuevo grupo de amigos en cuanto (que) fui a mi nuevo colegio.
  I looked for a new set of friends as soon as I went to my new school.

- *Antes (de) que, después (de) que* are generally followed by the subjunctive:

  *Todos se habían hecho amigos antes de que **llegara**.*
  They had all made friends before I arrived.

- Remember that the expression *acabar de* + infinitive means to have just done something but you will need to consider which tense to use:

  *Creo que **acabo de ofender** a mi mejor amiga.*
  I think I have just offended my best friend.

  *El grupo de rock **acababa de reunirse** cuando empecé el colegio.*
  The rock group had just started to get together when I started at the school.

A Read the texts above again and find six examples of time clauses.

Con el corazón en la mano

▶ *¿Cómo se distingue entre el amor y la amistad?*

1a Haz el test.

Asuntos del corazón

1 *¿Crees en el amor a primera vista?*
  A Claro que lo creo.
  B Nunca me ha pasado.
  C Sólo pasa en películas.

2 *¿Qué es el amor?*
  A Es una sensación increíble.
  B Es un sentimiento tierno.
  C Es un momento de estupidez.

3 *¿Has sufrido con un fracaso sentimental?*
  A Varias veces porque no tengo suerte.
  B Hace tiempo pero ya se me pasó.
  C Nunca porque no me dejo enamorar.

4 *¿Te has sentido atraído alguna vez por una persona famosa?*
  A Enormemente, siempre si es bella persona.
  B A veces me siento atraído.
  C Me parece una tontería.

5 *¿Es más importante el amor o la amistad?*
  A El amor es lo mejor.
  B Ambos son de igual importancia.
  C No creo en el amor.

Calcula tus puntos:
A = 2 puntos; B = 4 puntos; C = 6 puntos.
10 puntos o menos: *¡Eres una persona super sentimental que se enamora fácilmente!*
Entre 10 y 20 puntos: *Eres una persona bastante cautelosa en asuntos del corazón.*
Entre 20 y 30 puntos: *Eres una persona demasiado cínica y ensimismada. Abre tu corazón y diviértete más.*

1b  Discute con un(a) compañero/a. ¿Cuál es la diferencia entre el amor y la amistad? ¿Cómo los describirías? Busca en un diccionario cinco adjetivos diferentes para describir cada emoción.

¿Amistad o amor?

Bienvenido a Encuentros 60+

Soy
mujer

Busco
hombre

desde   hasta
60   110

Me llamo Erica Villegas. Soy una mujer feliz y sociable. Me gusta la vida, bailar, comer bien, beber de vez en cuando. Busco un hombre con buen sentido del humor, para disfrutar de las cosas buenas de la vida.

2a 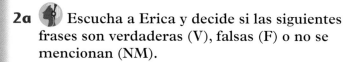 Escucha a Erica y decide si las siguientes frases son verdaderas (V), falsas (F) o no se mencionan (NM).

1 Se conocieron mediante una página en la red.
2 Ahora son esposos.
3 Sólo ella tiene hijos.
4 Erica tiene cuatro hijos.
5 Los nietos de Erica no aceptan a Juan Manuel.
6 Fue bastante difícil adaptarse a vivir juntos.
7 Son muy tradicionales en su relación.
8 Juan Manuel no cocina muy bien.

2b Escucha a Erica otra vez y toma notas para comparar su relación con Juan Manuel con su perfil personal en "Encuentros 60+".

2c Escribe un perfil más realista de Erica y lo que busca en un hombre.

2d Imagina y escribe el perfil que puso Juan Manuel en "Encuentros 60+".

3a Lee la carta de Elisa. En tu opinión, ¿cuál es la mejor edad para tener hijos?

Consultorio Sentimental

Querida Tía Matilde:

Es muy extraño. Sólo tengo 16 años y he tenido relaciones sexuales con mi novio dos veces. Mi prima tiene 18 años, acaba de tener un bebé y se ha mudado con su novio. Mi madre es puericultora, por eso en casa, a menudo veo bebés. Desde hace unas semanas tengo ganas de tener un hijo, no sé por qué y sé que soy demasiado joven y que quiero un buen trabajo ... No quiero estar atada pero siento una urgencia muy fuerte de tener un bebé. Me preocupa hacer algo estúpido en un momento de locura y no usar protección. ¿Por qué me siento así? ¿Qué hago? Por favor, ¡ayúdame!

Elisa, Cáceres

> puericultora: persona que se ocupa de prestar cuidados a los niños para mejorar su desarrollo durante los primeros años de vida

3b Haz una lista de los temas que se deberían considerar antes de tener hijos.

3c Escucha los consejos de Alicia, Sara y Elena. ¿Quién...

1 le recomienda otras formas de protección para evitar un embarazo?
2 cree que quizás quiere tener un hijo para llenar un vacío?
3 le recomienda que busque trabajo en el campo de la puericultura?
4 le recomienda que continúe con su educación?
5 dice que tener hijos es más fácil con una pareja y un buen trabajo?
6 cree que no es el momento adecuado porque Elisa no quiere perder su libertad?

3d Discute con tus compañeros las siguientes preguntas:

- ¿Qué harías en el caso de tener un/a novio/a que no le gusta a tus amigos?
- ¿Cómo harías para pasar tu tiempo libre con tu novio/a y con tus amigos de siempre?
- ¿Qué aconsejarías a una amiga que te dice que está encinta?
- ¿Qué consejos ofrecerías a Elisa? ¿A quién más debe considerar?

Gramática 171 W62

The passive

- Spanish in general prefers the use of the active voice, especially in everyday conversation.
- In active sentences the 'subject' does the action of the verb:

  Margaret's friends influenced her a lot.
  Las amigas de Margarita la influenciaron mucho.
- In passive sentences the 'subject' has something done to it:

  Margaret was influenced a lot by her friends.
  Margarita fue influenciada mucho por sus amigos.
- To form the passive take the verb *ser* + past participle which must agree with the noun.
- 'By' is usually translated by *por* but after a few verbs you should use *de*. Always check in your dictionary e.g. *rodearse de*.

  The newlyweds were surrounded by their families.
  Los recién casados fueron rodeados de sus familias.
- The passive voice tends to be used in formal contexts such as newspaper reports or legal text.

A Translate these sentences into Spanish.
1 We are often influenced by our peers.
2 The little girl was spoilt by her parents.
3 Conflicts are often caused by silly little problems.
4 Young people are constantly surrounded by temptations.

4 Responde a la carta de Elisa. Escribe no menos de 200 palabras.

- Considera todos los puntos que ella menciona.
- Trata de hacerle pensar responsablemente.
- Explica tus ideas sobre la diferencia entre el amor y la amistad.
- Usa verbos en el pasivo por ejemplo: *influenciado por; tentado por; rodeado de.*

Gramática en acción

➡171

Recuerda

The passive and how to avoid it

Remember: You can use all tenses in the passive voice.

*La novia fue dejada plantada **por** su novio.*
The bride was jilted by her fiancé.

*Los novios fueron rodeados **por** sus amigos.*
The newlyweds were surrounded by their friends.

*Sus padres serán felicitados **por** el cura.*
Her parents will be congratulated by the priest.

- You can avoid using the passive by:

  a using the reflexive pronoun *se* and the verb.

  Si los jóvenes son educados mejor, no pelean tanto.
  If young people are better educated, they don't fight so much.

  → *Si se les educa mejor, los jóvenes no pelean tanto.*

  b rearranging the sentence into an active format always remembering to use a direct object pronoun where necessary.

  Si les educamos mejor, los jóvenes no pelean tanto.

  c using the third person plural with an active verb as with the English 'they'.

  Si educan mejor a los jóvenes, no pelean tanto.

- Note also the following useful reflexive expressions:

  se dice que – it is said that; *se cree que* – it is believed that; *se sabe que* – it is known that; *se teme (de) que* – it is feared that.

A Identify the tense of the passive verb in each of the following sentences, then translate the sentences into English.

1 En mi opinión los jóvenes han sido calumniados demasiado por la prensa popular.

2 Los novios fueron recibidos por los invitados en la recepción del hotel.

3 Este chico va a ser criticado por sus enemigos si no tiene más cuidado.

4 Javier había sido puesto en una situación injusta por el profe.

5 Marisa es vista por todos como ejemplo magnífico de honestidad.

B Rewrite each sentence in Spanish avoiding the use of the passive voice.

➡170

Recuerda

Revision of commands

You have already come across commands (imperatives) in unit 3 of this book.

Remember:

1 The *tú* form is the same as the third person singular of the present tense. *¡Entra!*

  For the *vosotros* form take the infinitive, and replace the final -*r* with -*ad*. *¡Entrad!*

  You can also use the normal *nosotros* present tense form of some common verbs. *¡Vamos!* (Let's go).

  Don't forget that reflexive verbs drop the final -*d* in the *vosotros* form (*levantaos*) and the final -*s* in the *nosotros* form (*levantémonos*).

2 Some verbs have irregular imperatives in the *tú* form.

  di – give; *haz* – do/make; *pon* – put; *oye* – hear; *sal* – leave; *ten* – hold ; *ven* – come; *ve* – see

3 Remember that in Spanish the infinitive, not the imperative, is used for public instructions such as road signs, in recipes and in instructions for equipment in both positive and negative forms.

  Empezar por aquí. – Start here.

  No fumar. – No smoking./Don't smoke.

4 Object pronouns are placed in their usual position (**R**eflexive, **I**ndirect, **D**irect) before the verb in negative commands and attached to the end in positive commands. Generally an accent needs to be placed over the stressed syllable.

  Ponte el anillo de matrimonio. Póntelo. Put on your wedding ring. Put it on.

  No te pongas el anillo de matrimonio. No te lo pongas. Don't put on your wedding ring. Don't put it on.

C Translate the following sentences into Spanish.

1 Speak calmly, so as not to get into a quarrel.

2 Be careful not to insult your friends.

3 Let's sit down and talk it over.

4 Don't allow yourself to get involved in an argument.

5 Be quiet and listen to me whilst I give you some good advice.

6 Please don't smoke in here.

7 Don't write to me until you're ready to say sorry.

Vocabulario

Amistades en conflicto — *pages 118–119*

los celos	*jealousy*
las chucherías	*sweets/rubbish*
la generación	*generation*
el mensaje	*message*
la paga	*pocket money*
el rechazo	*rejection*
apagar	*to switch off/put out*
costar	*to cost*
depender de	*to depend on*
enfrentar	*to confront*
gastar	*to spend money*
hacer frente a	*to face up to*
negar	*to deny*
rebelarse contra	*to rebel against*
simbolizar	*to symbolise*
tardar en	*to take time to*
comunicativo/a	*communicative*
a la moda	*fashionable*
de hecho	*in fact*

Mis amigos y yo — *pages 120–121*

el aula	*classroom*
el piropo	*compliment*
la varicela	*chicken pox*
acercarse a	*to go towards*
afiliarse a	*to belong to/sign up for*
arreglar	*to arrange*
cuchichear	*to whisper*
darse de cuenta de	*to realise/dawn on*
echarse a reír	*to burst out laughing*
empeñarse en	*to undertake/be determined to*
enterarse de	*to get to know/find out*
hacer caso de	*to pay attention to*
integrarse	*to integrate*
proponerse	*to propose oneself/put oneself forward for*
querer decir	*to mean*
simpatizar	*to get on well*
sonreír	*to smile*
tartamudear	*to stammer*
tomar el pelo	*to tease*
tramar	*to plot*
decepcionado	*upset*
malvado/a	*wicked/evil*
sensato/a	*sensible*
a solas	*alone*
vale la pena	*it's worth it*

Con el corazón en la mano — *pages 122–123*

el corazón	*heart*
un embarazo	*pregnancy*
el fracaso	*heartbreak/disaster*
la locura	*madness*
acabar de	*to have just*
atar	*to tie up*
enamorarse	*to fall in love*
disfrutar de	*to enjoy*
preocuparse	*to worry*
tener ganas de	*to want*
tener suerte	*to be lucky*
cauteloso/a	*cautious*
ensimismado/a	*wrapped up in yourself/ conceited*
extraño/a	*strange/weird*
a menudo	*often*
a primera vista	*at first sight*
buen sentido del humor	*good sense of humour*
mediante	*by means of*

Rellena los espacios en las frases siguientes con la forma adecuada del verbo o de la palabra entre paréntesis.

1 Mis primos _____ por sus padres, mis tíos. (mimar)

2 La novia _____ de sus amigos y toda su familia después de la ceremonia. (rodear)

3 Vale, pero ahora _____ porque ya has dicho lo suficiente. (callarse)

4 Mi mejor amigo es atrevido y _____ día de estos va a recibir un bofetón cuando menos lo espera. (alguno)

5 Mis hermanas _____ acababan de dormirse cuando hubo una explosión en la cocina. (menor)

La sombra del viento

Daniel nos cuenta cómo se hizo amigo de Tomás Aguilar

Tomás bajó la mirada, avergonzado. Observé a aquel gigante tímido y silencioso que vagaba por las aulas y pasillos del colegio como alma sin dueño. Todos los demás chavales – yo el primero – le tenían miedo, y nadie le hablaba u osaba cruzar la mirada con él. Con los ojos caídos, casi temblando, me preguntó si querría ser su amigo. Le dije que sí. Me ofreció su mano y la estreché. Su apretón dolía, pero me aguanté. Aquella misma tarde, Tomás me invitó a merendar a su casa y me enseñó la colección de extraños artilugios hechos a partir de piezas y chatarra que guardaba en su habitación.

– Los he hecho yo – me explicó, orgulloso.

Yo era incapaz de entender qué eran o pretendían ser, pero me callé y asentí con admiración. Me parecía que aquel grandullón solitario se había construido sus propios amigos de latón y que yo era el primero a quien se los había presentado. Era su secreto. Yo le hablé de mi madre y de lo mucho que la echaba a faltar. Cuando se me apagó la voz, Tomás me abrazó en silencio. Teníamos diez años. Desde aquel día, Tomás Aguilar se convirtió en mi mejor – y yo en su único – amigo.

© Carlos Ruiz Zafón, 1999 DragonWorks S.L., 2004

Técnica

Responding to a literary text (1)

To respond to a literary text in Spanish, you need to call on all the reading techniques you have developed to understand the situation, the characters, and their relationships.

- When you first read, avoid getting bogged down by trying to translate every word.
- Aim for a gist understanding of the situation, and use that to help you work out further detail.
- Read character descriptions carefully to form an accurate picture in your head.
- Look for clues to relationships and hints as to how things will evolve.

A Read the extract from *La Sombra del Viento* by Carlos Ruíz Zafón. Summarise what happens in English: Who, where, what, why?

B Now try to work out the words in the first column from the context. Don't look them up in a dictionary until after you have made a guess. You may like to use a dictionary to look up the words in the second row to help you.

Work out these words:	Looking up these words first may help:
artilugio	latón, chatarra, hecho de
alma sin dueño	avergonzado, vagar, cruzar la mirada, ojos caídos
chavales	los demás, aulas
apretón	mano, doler, aguantar, estrechar

C Read the text again, and write a description of Tomás in your own words in Spanish. Explain why the others are scared of him.

D Explain what the last line of the text means. Will Tomás and Daniel be good friends? Read and make a list of things that make you think one way or the other.

1a ¿Cómo se conocieron Daniel y Tomás? Escucha a Daniel y decide si las frases son verdaderas (V), falsas (F) o si no se mencionan (NM).

1 Acababa de comenzar en el instituto.
2 El padre de Daniel había venido a buscarle.
3 Daniel insultó a la hermana de Tomás.
4 Daniel empezó una riña.
5 Los otros niños gritaron durante la pelea.
6 Los profesores tuvieron que intervenir.
7 Daniel aprendió una lección importante
8 Tomás quería disculparse con Daniel.

1b Escribe la historia de cómo se conocieron y se hicieron amigos desde el punto de vista de Tomás.

12 Matrimonio y cohabitación

By the end of this unit you will be able to:

- Discuss changing attitudes towards marriage and cohabitation
- Comment on separation and divorce
- Discuss the benefits and drawbacks of staying single
- Talk and write about the changing roles within the home

- Use the subjunctive to express possibility and impossibility
- Use the subjunctive in a broader range of expressions
- Use the subjunctive in relative clauses
- Use prepositions accurately
- Work out the meaning of words
- Respond to a literary text

1a 🗣 Discute el chiste gráfico con un(a) compañero/a.

Describe todo lo que te parece estereotípico en el dibujo luego imagina una escena más típica de hoy en día.

1b Escribe cinco adjetivos para describir las diferencias entre ellos dos.

2a 🔊 Escucha. ¿Cuáles de estos 13 puntos se mencionan?

2b 🗣 Discute con un(a) compañero/a.

1 ¿Cuáles de estos puntos son los cinco más importantes para que una pareja viva en armonía?
2 ¿Pensáis que el matrimonio, civil o religioso, es importante?
3 ¿Qué pensáis sobre la cohabitación?
4 ¿Creéis que el matrimonio provee más estabilidad que la cohabitación para una familia?

TREAT ME RIGHT!

1 Spot bad habits early.
2 Don't pretend you are perfect.
3 Be strict but consistent.
4 Don't treat me like a baby.
5 Don't spoil me.
6 Don't be scared to say sorry to me.
7 Tell me what I've done wrong in private.
8 Don't forget I can't explain very well.
9 Avoid making rash promises.
10 If you nag, I won't listen.
11 Go easy on my mistakes.
12 Let me learn the hard way.
13 Don't make up answers when you don't know.

12 Hacerlo por tu cuenta

▶ *Las ventajas y desventajas de una vida soltera*

1a Lee y decide quién es. Contesta Joaquín, José, Ana o Leila.

1 Vive solo/a, pero está buscando a alguien.

2 Vive con mucha gente, y está buscando a alguien especial.

3 No vive solo/a, ha tenido novio/a pero no vivían juntos.

4 Vive solo/a y antes vivía con alguien.

5 Antes estaba casado.

6 Antes escondía su forma de ser.

7 Da más importancia al trabajo que a una pareja.

8 Da más importancia a los amigos que a una pareja.

9 Se preocupa por el dinero, aunque tiene suficiente.

10 No tiene mucho dinero, pero no se preocupa.

José Abad, 55 años, dependiente

Pensaba ¿qué he hecho yo con mi vida? Nada me importaba hasta el día en que me atropelló un taxi en Valencia y estuve al borde de la muerte. Para empezar, tengo mis hijas, ya mayores e independientes. Mi matrimonio se acabó hace años, al mismo tiempo que mi carrera de ingeniero con una multinacional que quebró. Mi hija me recomendó el portal de encuentros match.com. Me ha alegrado la vida conocer a tantas mujeres, pero sigo buscando a ese alguien especial.

Joaquín Martín, 19 años, estudiante

¿Lo más importante que me ha pasado este año? Mudarme a Madrid y salir del armario … Lo de preparar los exámenes me está matando, pero en las residencias universitarias la gente es más abierta. Me gusta mi manera de ser, mi manera de ver las cosas. Y si conozco a más personas como yo, o encuentro a alguien con quien pasar el rato, mucho mejor … Cuando llegué a Madrid y vi las carrozas del Día del Orgullo Gay, flipé. Después de tanto años de aplicar la ley del silencio, la sociedad está cambiando.

Ana Varela, 34 años, actriz y música

Suena raro decir que una de las razones por las que sigo viviendo en casa de mis padres es la independencia. Pero es que comparto la casa con ellos como otro adulto más. Necesito mi espacio, tengo mis propias manías que no todos aguantarían. He tenido parejas, pero siempre cada uno ha vivido en su casa. Cuando me vaya a mi propia casa, no será para casarme ni convivir con alguien, sino porque me convenga profesionalmente. Pago alquiler, pero tengo la seguridad de que no me van a echar a la calle si llega el fin de mes y no alcanzo. De todas formas casi siempre me sobra para hacer algún viaje o salir con mis amigos.

Leila Guzman, 26 años, administradora de hotel

Llevo dos años viviendo sola. Antes vivía con mi novio, y así ahorraba dinero; bueno, no lo ahorraba, más bien lo gastábamos: en la casa, en restaurantes, en vacaciones … Ahora, una vez pagada la hipoteca, el teléfono y la compra, no me queda mucho a fin de mes. Pero ¿qué importa?, si en mi vida soy yo la que decido. Voy adonde quiero ir: a conciertos, a museos, de paseo, y sobre todo, tengo amigos de intereses diferentes, todos divertidos.

1b Lee los textos otra vez. Analiza la situación de cada persona y decide si en tu opinión vivir a solas representa una ventaja o desventaja. Da tus razones.

Frases clave

Por lo visto …
En cuanto a …
Lo que más/menos …
No obstante …
A fin de cuentas …

2a Escucha la entrevista y completa las frases.

1 Prefiere vivir sola porque …
2 Vivía con un grupo de amigos para …
3 Le parece importante …
4 La ventaja es que ahora puede …
5 Lo malo es que …
6 En resumen cree que …

2b Escribe una respuesta de entre 200 y 250 palabras a la pregunta de abajo. Utiliza las ideas expresadas en la entrevista de 2a para ayudarte.

¿Es mejor quedarse soltero/a o convivir con otra persona sea en matrimonio o como marinovios?

Gramática 159 W18

Prepositions

- Prepositions often express place or time:
  en   a   cerca de   sobre   debajo de
  por   durante   antes de   desde   hasta   hacia
- Spanish does not always use the same prepositions as English:
  en coche   by car   en casa   at home
- Watch out for a. Sometimes in English the "to" is omitted:
  I gave Jenny the message.   Di el mensaje **a** Jenny.
- In Spanish it may be an extra 'personal' a:
  Vi **a** María.   I saw María.

A Identify the preposition and explain its use in the following examples.

Example: 1 The preposition is **a**. It means 'at' or 'to' but here it means 'in'.

1 Llegué a Madrid.
2 salir del armario
3 lo de preparar los exámenes
4 Estuve al borde de la muerte.
5 el día en que
6 portal de encuentros
7 Sigo buscando a ese alguien especial.
8 casa de mis padres
9 no será para casarme
10 la seguridad de que

12 Todo cambia en casa

▸ *¿Quién hace qué en el nuevo hogar?*

El Instituto del "Hombre Nuevo"

Ofrecemos los siguientes cursos:

1 Tú y la cocina: los beneficios de saber utilizar los electrodomésticos.

2 Flores – dónde se compran, cómo y cuándo regalarlas.

3 Planchar la ropa – no es peligroso.

4 Cómo colocar un rollo nuevo de papel higiénico.

5 El control remoto de la tele: combatir la dependencia.

6 Cómo doblar la ropa. Uso de la percha, paso a paso.

7 La compra semanal: cómo comprobar lo que hace falta y escribir la lista.

8 Los aniversarios – cómo acordarse y comprar regalos adecuados.

1a Lee el folleto y decide qué curso tiene que ver con:

   1 las fechas importantes del año

   2 el cuarto de baño

   3 la compra de la semana

   4 el arte culinario

   5 la adicción audiovisual

   6 las prendas bien cuidadas

   7 la organización del armario

   8 la importancia de la floristería

1b Inventa una serie de cursos parecidos para "La Mujer Nueva".

2a Escucha y decide quién, Amalia, Beatriz o Carlos, menciona los siguientes puntos.

   1 tres chicos   **6** hijos rebeldes

   2 un recién nacido   **7** la crítica de los vecinos

   3 una madre enferma   **8** la felicidad paterna

   4 la ayuda estatal   **9** despertarse por la noche

   5 la juventud perdida   **10** la falta de un padre

2b Discute con un(a) compañero/a la situación de cada persona. ¿Es justa, normal o distinta de lo que la vida en casa debe ser en tu opinión?

2c ¿Qué consejos puedes ofrecerles? Usa el condicional con la frase:

Yo que tú haría/cambiaría/iría etc. …

Gramática ➡ 170 ➡ W53

The subjunctive in relative clauses

- Use the subjunctive in relative clauses where there is an element of doubt because the person or object referred to has not yet been identified and maybe doesn't even exist:

  *¿Conoces alguien que **hable** ruso?*
  Do you know anyone who speaks Russian?

  Note that no personal *a* is needed in this kind of sentence.

- But:

  *Sí, conozco a alguien que **habla** ruso.*
  Yes, I know someone who speaks Russian.

  You don't need the subjunctive because you know that the person exists.

- If your response is in the negative, you do need the personal *a* as well as the subjunctive.

  *No, no conozco a nadie que **hable** ruso.*
  No, I don't know anyone who speaks Russian.

A Translate these sentences into Spanish.

   1 I am looking for a partner who is perfect.

   2 I need a partner who helps with the washing up.

   3 I can't find anybody who fits that description.

   4 It is possible that one doesn't exist.

3 Escucha el programa de radio. Decide si las quejas que siguen son de Rogelio o Lupita.

La otra persona:

   1 No ayuda con las tareas domésticas.

   2 No dice adónde va cuando sale.

   3 Le interroga.

   4 Trabaja hasta muy tarde.

   5 No cocina bien.

   6 Está celoso/a de su trabajo.

4a Lee el artículo rápidamente y escribe una frase para resumir el tema de cada sección.

Ejemplo: A = *Cambios a lo largo del tiempo.*

A Los valores de la sociedad y las familias han cambiado a lo largo de los últimos cincuenta años, pero aún más desde que la mujer se ha incluido en el circuito laboral, y ha comenzado a participar activamente en la economía.

B El concepto de familia también ha variado, y con ello nos referimos al concepto o modelo de familia patriarcal, nuclear, prototipo de familia de décadas anteriores. En este modelo anterior se establece una diferencia clara del trabajo por géneros: el hombre es el responsable del mantenimiento económico y por lo tanto tendrá la autoridad última, mientras que la mujer estará encargada de las tareas domésticas, de la reproducción biológica y de las relaciones sociales.

C Los roles tradicionales de hombre y mujer que eran funcionales en las anteriores décadas ahora ya no nos sirven debido a una progresión hacia formas más igualitarias de definiciones genéricas. Ambos participan de la vida pública y del trabajo; ambos también participan en la crianza y en el ámbito doméstico. Aun así el porcentaje de tiempo que dedican las mujeres a la realización de tareas domésticas y al cuidado de los hijos, es más del doble del que dedican los hombres.

D Las sociólogas dicen que cuanto más bajo es el nivel socioeconómico, más trabajo hay en el hogar, ya que por un lado no pueden utilizar servicios ofrecidos en el mercado y por otro lado, son los hogares en donde se concentran la mayor cantidad de niños. Podemos afirmar que las madres más pobres y las más jóvenes son las que están más tiempo trabajando en el hogar.

E Además hemos asistido a muchos otros cambios sociales: la liberación sexual, la liberación femenina y el divorcio y hasta hoy en día, surge el fenómeno del padre ausente que es la contrapartida al nuevo rol del "marido-casero" o amo de casa. En efecto la pareja puede decidir cuándo y cuántos hijos quiere tener, quién les va a cuidar y si los quiere tener o no. Hasta tiene la libertad de decidir la composición de "padres" de familia; homosexual o heterosexual.
En cuanto a la pareja divorciada ya surge otro fenómeno actual; el de cómo dividir tanto el tiempo que pasan con sus hijos como decidir con cuál de los dos se van a quedar. En el caso de segundo matrimonio tanto los hijos como los padres tienen que adaptarse a la familia nueva. A los abuelos no les hemos mencionado pero ellos también desempeñan un rol importante en cuanto a la crianza y orientación de la familia.

F Recordemos que la familia es la representación ideológica del estado-sociedad, por lo que si la familia cambia, necesariamente la sociedad cambia, la familia está dentro de la sociedad pero también la forma, o la constituye.

Técnica

Working out the meanings of words

Translating text word by word can result in meaningless passages due to differences between languages.

Unless you are dealing with an exam question that specifically asks you to do so, there are few occasions when a full translation is required. Mostly, you will only need the overall gist and an understanding of the main points communicated in the text. Here are some tips to help you:

- Think of other words connected to the word in the text.
  - word families
    divorciarse (to divorce)   *el divorcio* (divorce)
    divorciado (divorcee)
  - synonyms and antonyms
    la mayoría (the majority)
    la minoría (the minority)
  - prefixes denoting opposites or repetition (*in-, anti-, des-, re-*)
    paciente impaciente
  - suffixes (*-ero/a, -ista, -or(a), -ancia, -encia, -ción, -sión*)
    implementar (to implement)
    la implementación (implementation)
  - cognates or near cognates
    participar   participate
    el prototipo   prototype
  - Think about the function of a word in the sentence.
    verb *respetar*   noun *el respeto*
    adjective *respetuoso*
    adverb *con respeto/respetuosamente*

A Re-read the article and find:

1 verbs meaning 'to include' 'to refer to' 'to establish'

2 words meaning 'equal' 'percentage' 'freedom'

4b Escribe un ensayo de unas 200 a 250 palabras. Combina las ideas tuyas con las del artículo.

"¿Cómo han cambiado y siguen cambiando los roles del hombre y la mujer en el hogar? ¿Cuál es tu opinión sobre estos cambios?"

Gramática en acción

➡170

Recuerda

Making better use of the subjunctive

The subjunctive is about joining sentences together. That is why there is often a *que* linking parts of the sentence. It shows which part of the sentence is untrue, doubtful, a value judgement, or wished for.

It is possible to avoid using the subjunctive, but you miss the opportunity to show off the complexity of your language. If you deliberately set out to use the subjunctive, you will probably get it right.

A Identify the verb in the subjunctive and explain why it is in the subjunctive.

1 No pienso que a mi padre le guste mi piercing.
2 Necesito que me dejes copiar los deberes.
3 No es posible que vengas a mi casa.
4 Es típico de mi hermano que diga eso.

B Make sentences, changing the verb to the subjunctive.

Quiero	que	Es mi verdadero padre.
No creo		Mis padres pueden vivir juntos.
Dudo		Mis padres me regañan.
Es imposible		Mi padre va a pagar el móvil.
Es ridículo		Mi madre tiene un nuevo novio.

C Here are four missed opportunities to use the subjunctive. Improve the answers.

¿Existe un modelo típico de familia?

No creo. Cada uno decide cómo quiere vivir, y eso es lo importante.

¿La familia tradicional va a desaparecer?

¿Desaparecer? No, no es probable. Pero su importancia va a disminuir. No podemos impedirlo.

➡170

Recuerda

Negative imperatives

The subjunctive is also used for negative imperatives:

No hagas eso.   Don't do that.
No lo comas.   Don't eat it.

D Translate these into Spanish

1 Don't worry.   3 Don't go.
2 Don't cry.   4 Don't take it.

E What would you say to these people?

F Use the subjunctive to explain why they shouldn't do it.

Example: *Es importante que no pongas agua en aceite porque es posible que produzca una explosión.*

Vocabulario

Casarse, separarse o divorciarse — *pages 128–129*

el autoestima	self-esteem
el cambio	change
el consejo	advice
la culpa	blame
las disculpas	excuses
el lazo	tie
el rencor	rancour/ill-feeling
la riña	quarrel
arreglar	to arrange
convertirse	to convert/become
descuidar	to neglect
empeñarse en	to insist on something/be determined
encerrarse	to close up/shut away
lograr	to manage (to)
negar	to deny
reñir	to quarrel
romper	to break
enojado/a	annoyed

Hacerlo por tu cuenta — *pages 130–131*

el alquiler	rent
la carroza	float
la hipoteca	mortgage
un marinovio	partner (cohabiting)
el portal	web page
ahorrar	to save
alcanzar	to reach
alegrar	to make happy
aguantar	to put up with
atropellar	to run over
compartir	to share
convenir	to suit
convivir	to live with
flipar	to be amazed
hacerlo por tu cuenta	to go it alone
matar	to kill
quebrar	to break up
salir del armario	to come out (gay terminology)
sobrar	to be extra/over
soltero/a	single
al borde de	on the edge of
mediante	by means of

Todo cambia en casa — *pages 132–133*

la crianza	upbringing/rearing
la contrapartida	contrast
la década	decade
una enfermera	nurse
el género	gender
la juventud	youth
el papel higienico	toilet paper
el pañal	nappy
la percha	coat hanger
el rechazo	rejection
las tareas	tasks
el tetero	baby bottle
hacer caso de	to take notice of
interrogarse	to interrogate/ask oneself
regañar	to tell off
ambos/as	both
celoso/a	jealous
discapacitado/a	disabled
encargado/a	responsible
igualitario/a	equal
laboral	work
monoparental	single family
debido a	owing to

Rellena los espacios en las frases siguientes con la forma adecuada del verbo o de la palabra entre paréntesis.

1 Es importante que las parejas _____ hablándose cuando tengan una diferencia de opiniones. (seguir)
2 Es preferible que no _____ en ganar la pelea siempre. (empeñarse)
3 Me alegro que por fin _____ el coraje de salir del armario. (tener)
4 No conozco a _____ pareja, por más enamorada que sea, que no tenga pelea. (ninguno)
5 No creo que _____ la pareja ideal jamás en mi vida. (encontrar)

Reading

1   Lee este artículo de opinión y escribe si las siguientes afirmaciones son verdaderas (V), falsas (F) o no se mencionan (NM).   *(6 marks)*

  1   El entretenimiento es uno de los propósitos de la televisión.

  2   Si los niños ven poco la televisión generalmente tienden a ser más optimistas.

  3   La obesidad y los grados de empatía en los niños están asociados a ver la televisión.

  4   Se deben comentar los programas de televisión a la hora de comer.

  5   Los que realmente deberían fomentar el uso positivo de la televisión son los programadores de las televisiones.

  6   Los niños no deben ver la televisión sin la supervisión de los padres.

Los jóvenes y la televisión

La televisión es uno de los pasatiempos más importantes y de mayor influencia en la vida de niños y adolescentes. El objetivo principal de la televisión es entretener e informar, pero también puede influenciar a los jóvenes de manera indeseable.

La violencia que aparece constantemente en la televisión actúa como uno de los factores más negativos en las relaciones personales de los jóvenes que por eso tienden a resolver los conflictos interpersonales con ella. Los niños que ven televisión durante más horas son más agresivos y pesimistas, menos imaginativos y empáticos, tienden a ser más obesos y no son tan buenos estudiantes como los niños que ven menos televisión.

Esto se debe a que el tiempo que se pasa frente al televisor es tiempo que se le resta a actividades importantes, tales como la lectura, el trabajo escolar, el juego, la comunicación con la familia y las relaciones sociales.

Pero, ¿qué podemos hacer? Sería beneficioso que los programadores de las televisiones tomaran realmente conciencia de esta influencia y que la encaminarán a cosas positivas pero realmente el papel más importante lo tienen los padres. Son ellos los que deben reflexionar sobre el uso de la televisión en sus casas y sobre el número de horas y los tipos de programas que son adecuados para la edad de los jóvenes.

Además los padres deben fomentar las conversaciones a la hora de la comida y apagar el televisor. E incluso cuando se está viendo la televisión, se recomienda dialogar y razonar sobre los temas que aparecen. Se puede hacer un uso positivo de la televisión si se quiere.

2   Lee la información sobre cómo crear un blog y busca la palabra o expresión sinónima de las frases 1–6.   *(6 marks)*

  1   por orden de fechas

  2   los que visitan los blogs

  3   la persona que empieza un servicio

  4   normas morales que regulan cualquier relación o conducta humana

  5   nombra de dónde vienen los materiales que has usado

  6   llegar a ser un experto

http://www.blogoesfera.net

Únete a nuestra blogoesfera

¿Todavía no tienes un blog? ¿Y a qué estás esperando? Crea tu blog de forma rápida y gratuita en nuestra página web.

¿Qué es un blog?

Un blog, (también se conocen como weblog o bitácora), es un sitio web que recopila cronológicamente textos o artículos apareciendo primero el más reciente. Habitualmente, en cada artículo, los lectores pueden escribir sus comentarios y el autor darles respuesta, de forma que es posible establecer un diálogo.

¿Para qué crear un blog?

Los blogs principalmente te permiten expresar tu opinión en Internet sobre cualquier tema que te interese. En ellos puedes recopilar y compartir todo lo que te parezca interesante. También los puedes usar para enseñar o simplemente como lugar de reunión para conversar o dialogar con tus amigos o conocidos. Los puedes usar incluso para hacer negocios y darte a conocer.

¿Cómo empezar?

- Lo primero que tienes que hacer es registrarte como nuevo usuario.
- Una vez tengas tu clave personal ya puedes empezar a diseñar tu blog.
- Asegúrate que buscas la originalidad y usas diferentes diseños.
- Utiliza un estilo directo y cercano.
- Una vez tengas la base puedes publicar con la frecuencia que desees.

Nuestros consejos

Recuerda que lo de las cosas fundamentales para entender el fenómeno blog es que se crean relaciones de confianza. Hay aspectos éticos que inciden en ello así que cita las fuentes que uses y respeta las opiniones de los demás.

¿Ya lo tienes todo claro? Pues entra y publica. Te mandaremos información semanal para que puedas explotar al máximo tu espacio y convertirte en todo un profesional.

¿Tienes dependencia del móvil?

3 Lee los comentarios de estas personas y escribe si dependen del móvil (Sí), no dependen del móvil (No) o no está claro (¿?). *(6 marks)*

1 Miguel
2 Javier
3 Ana
4 Marisa
5 Paco
6 Rosa

> Yo, ¿dependiente de mi móvil? ¡Para nada! Tengo móvil, pero si estoy en casa es raro que sepa dónde está sin llamarlo desde el fijo. Creo que es muy buena solución para estar siempre disponible si alguien nos necesita pero también es una especie de cárcel de la que no puedes escapar ni para ir al baño.

Miguel

> Bueno en ocasiones es necesario para comunicarse con la gente pero no es en absoluto un elemento vital para mí. Si me dejo el móvil en casa, me quedo tan tranquilo.

Javier

> La verdad es que el móvil es parte de mí. Si se me olvida en casa o en el coche, me siento como limitada, vacía. Entonces me entra la paranoia y me preocupa que, si voy a llegar tarde a algún sitio o algo así, no pueda avisar.

Ana

> Hubo un tiempo en que dependía mucho de él pero ahora ya no, con lo cual he llegado a la conclusión de que no hay nada imprescindible.

Marisa

> A ver, sin móvil no podría contactar con las personas más importantes en mi vida. Pero por otro lado estaría mucho más tranquilo ya que mis padres me tienen localizado todo el tiempo y no paran de llamarme. Me agobia un poco.

Paco

> No lo puedo evitar pero mi móvil es como mi maquillaje, no salgo de casa sin él. Además trabajo fuera de la oficina la mayoría del tiempo así que tengo que estar conectada con los clientes y con mi jefe.

Rosa

4 Lee las frases y escribe la forma adecuada de la palabra entre paréntesis. *(5 marks)*

1 Los anuncios hacen que los productos nos _____ atractivos e indispensables.
(parecer)

2 Los estereotipos en la publicidad _____ aumentar los prejuicios de la audiencia.
(soler)

3 No he visto _____ programa de cotilleo en los últimos meses.
(ninguno)

4 Las campañas publicitarias responsables pueden _____ de forma positiva a la sociedad.
(influenciar)

5 Pablo, ¡no _____ y estudia para tus exámenes!
(chatear)

Listening

5 Listen to this piece on advertising and provide the information required in English. *(7 marks)*

1 Which two advantages of advertising are mentioned? *(2 marks)*

2 Which qualities does the speaker find in good adverts? *(1 mark)*

3 Which two groups does he find badly represented in many adverts and why? *(4 marks)*

6 Escucha a estas ocho personas dar su opinión sobre los móviles e Internet. Escribe la respuesta correcta A, B o C. *(8 marks)*

¿Qué hemos ganado con las nuevas tecnologías?

1 El móvil es bueno para …

   A mantenerse en contacto con la familia.

   B comunicarse con los amigos al hacer los deberes.

   C llamar en caso de emergencia.

2 Con los móviles …

   A no tienes estrés.

   B estás localizable todo el tiempo.

   C puedes hablar con todo el mundo.

3 Los móviles te permiten …

   A llamar al extranjero por la noche.

   B llamar a otros países aunque sea caro.

   C ver a la gente con la que hablas.

4 Dice que con el móvil …

   A pudo llamar a su colegio.

   B pudo pedir consejo.

   C pudo llamar a su familia.

5 Los jóvenes …

   A pasan demasiado tiempo usando el móvil e Internet.

   B no dependen para nada de la tecnología.

   C tienen problemas físicos por el uso del móvil.

6 El lenguaje que han inventado es …

   A difícil de comprender.

   B breve.

   C gramaticalmente correcto.

7 Internet …

   A te da la flexibilidad de trabajar donde quieras.

   B no funciona tan bien en el extranjero.

   C me permite salir a trabajar fuera de casa.

8 En Internet puedes …

   A buscar trabajo.

   B ver cine.

   C hacer compras.

Writing

7 Answer one of the following questions in Spanish. You must write a minimum of 200 words.

  1 Read the question carefully.

  2 Produce a plan with an introduction and a conclusion. Each paragraph should provide a strong point to support your argument.

  3 Check that your planned answer is relevant.

  4 Back up your points with examples.

  5 Back up your opinions with justifications.

  6 Vary your vocabulary as much as you can.

  7 Use different tenses and grammatical structures.

  8 End with a conclusion that briefly sums up your argument.

  9 Carry out a final check for relevance and accuracy.

 10 Make sure you have written a minimum of 200 words – but don't write more than 250 or so.

A **!Qué rollo de anuncios!**

'La publicidad es excesiva y crea falsas expectativas.' ¿Qué opinas tú?

Siempre que pones la radio o la tele los anuncios aparecen cada 10 o 15 minutos. ¡Es demasiado!

La publicidad está en todos los sitios en el transporte público, en Internet, en la radio, en la tele … ¡hasta en la sopa! Debería de haber más control.

Siempre es lo mismo: precios por los suelos, no pierdas la oportunidad, la mejor calidad-precio … Y lo malo es que siempre terminas comprando algo.

Me encanta usar Facebook. Puedo ver las fotos de todo el mundo y he conocido a un montón de gente. Me entero de lo que hacen todos mis amigos. Además he vuelto en ponerme en contacto con gente que no veía desde hacía tiempo.

B ¿Cuáles son las ventajas y las desventajas de usar redes sociales?

C Describe dos tipos de programas televisivos – uno que te guste mucho y otro que no te guste tanto. Explica como te sientes al verlos y analiza las diferencias entre ellos.

Oral

8 Mira la información y prepárate para debatir las cinco preguntas.

Los programas de televisión más populares entre los jóvenes

1 Gran Hermano – Telecinco – tele realidad

2 El internado – Antena 3 – serie

3 Sé lo que hicisteis – la sexta – programa de sobremesa de humor sobre la actualidad

---

1 ¿Qué tema se trata aquí?

2 ¿Te sorprende que *Gran Hermano* sea el programa más popular?

3 ¿Por qué crees que los jóvenes se enganchan tanto a las series?

4 ¿Cuál es tu tipo de programa favorito y por qué?

5 En tu opinión, ¿la televisión debe informar o divertir?

9 Elige una lista de preguntas y prepara las respuestas para la conversación.

A La tecnología

1 ¿Qué tipo de tecnología utilizas en tu vida diaria?

2 ¿Para qué utilizas Internet?

3 Internet es una forma de comunicación, ¿estás de acuerdo?

4 ¿Piensas que el uso de Internet puede crear adicción?

5 ¿Qué opinas de las redes sociales como Facebook?

6 ¿Cuáles crees que son las ventajas y desventajas de tener un teléfono móvil?

7 ¿Podrías vivir sin móvil?

8 ¿Crees que es necesario tener Internet en el móvil para poder estar conectado todo el tiempo?

9 Si tuvieras un blog, ¿de qué sería?

10 ¿Crees que Internet va a reemplazar a otros medios de comunicación como la televisión o la prensa?

B La publicidad

1 ¿Qué tipo de anuncios te gustan?

2 ¿Hay anuncios que te molestan?

3 ¿Crees que hay demasiada publicidad en los medios de comunicación?

4 ¿Hasta qué punto la publicidad influye en el público?

5 ¿Tú te dejas influenciar por la publicidad?

6 ¿Crees que algunos anuncios solo se deberían emitir por la noche?

7 ¿Opinas que nuestra sociedad es una sociedad de consumo?

8 ¿Es verdad que la publicidad es un arte creativo?

9 ¿Te gustaría trabajar en publicidad?

10 Si tuvieras que hacer una campaña de publicidad para dar a conocer un nuevo perfume, ¿cómo la harías?

2 Popular culture

Reading

1 Lee este artículo de opinión y escribe si las siguientes afirmaciones son verdaderas (V), falsas (F) o no se mencionan (NM). *(6 marks)*

PELIS Y MÁS PELIS

Ayer mi profesora nos puso en clase *El laberinto del Fauno*. Me encantaron los efectos especiales y eso que normalmente evito las películas de fantasía. La verdad es que creo que Guillermo del Toro tiene mérito porque tanto el argumento como la selección de actores son sensacionales. Además la película tiene muchas referencias culturales sobre la historia de España del momento y pudimos comentarlas con la profe una vez terminó la película. **María**

Anoche alquilé la película *Vicky Cristina Barcelona* y la vi en casa con mi padre. Como siempre Woody Allen no me decepcionó. El diálogo, propio del cineasta, es excelente. Y el papel de Penélope Cruz como Manuela ni te cuento, increíble. Además salía mi actor preferido, Javier Bardem que como siempre hizo una gran interpretación. No me extraña que fuera una de las películas más taquilleras en su momento. **Pedro**

Pues mi película favorita es sin duda la argentina *El sueño de Valentín*. La historia está contada por el protagonista, un niño que te narra lo que pasa a su alrededor de una forma tan inocente y cómica que no puedes parar de reír. Eso sí, en más de un momento se me escaparon las lágrimas. Me parece mentira que un niño de tan poca edad pueda actuar de tal manera. Cada vez estoy más metida en el cine latinoamericano y no me extraña que esté en auge ya que abundan los buenos directores. **Amanda**

Mi hermano consiguió dos entradas para el estreno de la última película de Harry Potter en España y fuimos a verla el sábado pasado. Como siempre los efectos especiales del mundo de la magia fueron muy buenos pero fue la que menos me gustó de toda la serie. Las voces del doblaje se quedaron cortas y algunos de los detalles más interesantes del libro no aparecieron. Lo mejor en mi opinión fue la interpretación de Rupert Grint como Ron Weasley y la banda sonora. **Pablo**

1 A María le chiflan las películas de fantasía por eso le encantó *El laberinto del Fauno*.
2 *Vicky Cristina Barcelona* fue la película con más ventas el año de su estreno.

3 Amanda lloró con la película *El sueño de Valentín*.
4 Pablo afirma que una de los mejores aspectos de *Harry Potter y las reliquias de la muerte* es la música.
5 El cine latinoamericano está teniendo mayor auge que el cine español.
6 Aunque el actor favorito de Amanda es Bardem, considera que Penélope Cruz hizo una mejor interpretación que él en la película *Vicky Cristina Barcelona*.

2 Lee el artículo de la revista y contesta las preguntas en español. *(6 marks)*

¿Las curvas o la extrema delgadez?

En el siglo XIX y la primera mitad del siglo XX Renoir y otros artistas impresionistas retrataban mujeres voluminosas. Lucir cuerpos entrados en carne era un signo de salud y de bienestar, también lo era de belleza.

En la actualidad, 100 años después, mujeres como Beyoncé Knowles y Jennifer López (de atractivo innegable) tendrían imposible ganar el premio de Miss América. Marilyn Monroe ni siquiera podría considerarlo porque tendría demasiadas curvas como para ser preseleccionada. Podría afirmarse que el ideal de belleza femenino se ha modificado bruscamente en los últimos 50 años, hoy en día la silueta que parece triunfar en la moda y las pasarelas es la de una mujer extremadamente delgada.

Esto tiene cada vez mayor reflejo entre las chicas jóvenes, hasta el punto de que llegan a jugar con su salud. Muchas mujeres y aun más las más jóvenes, guiadas por los medios de comunicación están llevando el mito de la delgadez demasiado lejos. El prototipo de belleza que muestra la publicidad, los programas de televisión y las revistas pueden provocar que los jóvenes sufran de trastornos alimentarios, como anorexia y bulimia.

Ahora, aproximadamente una de cada 100 adolescentes de entre 14 y 18 años cae en las garras de la anorexia, mientras que un 2,4% desarrolla bulimia. Y no sólo el sexo femenino se está enganchando a los trastornos de la alimentación también los varones han empezado a verse reflejados significativamente en las estadísticas.

Estimados lectores, hay que tener cuidado con estas tendencias, aceptarse a uno mismo conforme somos y simplemente hacer ejercicio y tener una alimentación sana para mantenerse en forma y tener un buen aspecto.

1 ¿Cuál era el ideal de belleza del siglo XIX y principios del XX? *(1 mark)*
2 ¿Qué pasaría si Jennifer López se presentara a Miss América? *(1 mark)*
3 ¿Cuál es el ideal de belleza de hoy en día? *(1 mark)*
4 ¿Quién se ve afectado por la anorexia? *(1 mark)*
5 ¿Qué aconseja el autor del artículo a sus lectores? Menciona dos cosas. *(2 marks)*

www.forum/la_moda

la moda ⊗

¿Cómo influye la moda en los jóvenes españoles?

la_Margarita
En mi opinión, la ropa es un medio de comunicación para los adolescentes, ya que a través de ella logran expresarse, mostrando su personalidad, propio estilo o gustos musicales. Es común encontrar grupos, tanto de chicas como de chicos, clasificados como los pijos (que tienden a llevar ropa de marca), los góticos (vestidos de negro pero con toques de colores fluorescentes en el pelo y en la vestimenta), los raperos (pantalones holgados, zapatillas, pendientes y gorras) o los macarras (generalmente con chándal, pelo rapado, piercings, cadenas de oro y mucho maquillaje en las chicas). Generalmente son modas pasajeras que tienden a cambiar.

Luis_elgrande
Bueno si la ropa puede ser un medio de comunicación está claro que muchos jóvenes alteran su imagen para aparentar lo que no son. Está claro que si tienes que elegir entre un vaquero del mercadillo o un levis, vas a elegir el levis solo para presumir. Esto puede llegar a ser un problema ya que se puede discriminar a un adolescente por no llevar ropa de marca o no ir como la mayoría del grupo y a veces ese pensamiento hace que muchos jóvenes de hoy en día no tengan su propio estilo ya que tienen miedo de ser desplazados del grupo o criticados.

Valencia_90
A ver, lo que está claro es que nuestro país se caracteriza por ser excesivamente consumista en cuanto a la estética y la apariencia. Así que los jóvenes están constantemente dispuestos a copiar e imitar las tendencias que marcan sobre todo los personajes famosos. Las revistas y la moda en general tiene más influencia en las chicas adolescentes: el maquillaje, el físico, el peinado … Aunque los chicos se dejan llevar más por la ropa de marca lo que a veces causa conflictos en la familia ya que generalmente es ropa bastante cara.

---

3 Lee las opiniones del foro sobre la moda y decide a quién se refiere cada frase 1–6. Escribe M (la_Margarita), L (Luis_elgrande), o V (Valencia_90). *(6 marks)*

1 Algunos jóvenes siguen la moda para sentirse integrados en el grupo de amigos.

2 Los jóvenes tienden a la imitación y al consumo.

3 Los jóvenes compran ropa de marca para alardear.

4 Las chicas se dejan influenciar más por las revistas y por la moda en general que los chicos.

5 Las modas no duran para siempre.

6 La moda refleja la manera de ser de las personas.

4 Lee las frases y escribe la forma adecuada de la palabra entre paréntesis. *(5 marks)*

1 En los años cuarenta las películas _____ en blanco y negro.
(ser)

2 El periodista quería saber qué _____ Paula de la nueva película de Almodóvar.
(opinar)

3 No _____ escuchado el nuevo disco de Manu Chao hasta anoche.
(haber)

4 A mi madre le sorprendió que me _____ un tatuaje en la espalda.
(hacer)

5 Ojalá hubiera _____ al concierto de Shakira el año pasado. Las entradas para este año son carísimas y no puedo comprarlas.
(ir)

Healthy living/lifestyle

Reading

1 Cuatro personas hablan de su dieta. Lee las frases y decide a quién se refiere cada una. Escribe T (Teresa), R (Rafa), F (Fernando) o S (Sonia). *(6 marks)*

1 Cocinar no es una experiencia agradable.

2 No me preocupo por la comida para nada.

3 A mí me gustan las hortalizas.

4 Engordo con facilidad.

5 La comida rápida no es buena para la salud.

6 Es necesario alimentar bien a la familia pero es difícil.

¿Qué opinas de tu dieta?

Para mi tener una dieta sana es muy importante. La verdad es que me cuido bastante y tengo una dieta bastante equilibrada. Creo que desayunar bien es muy importante para empezar el día con energía así que siempre tomo cereales, yogur y fruta. La comida la hago ligera. Lo que no puedo evitar es picar entre horas sobre todo cuando llego del trabajo. Lo único que me apetece es sentarme en el sofá y comerme un trozo de chocolate antes de empezar a hacer la cena. He hecho muchos regímenes porque tengo tendencia a ganar peso en cuanto me paso un poco con la comida. **Teresa**

Como porque es necesario y no me importa ni qué ni cuándo. Como vivo solo, no tengo una rutina establecida para comer y no pierdo el tiempo ni cocinando ni comiendo. Cuando tengo hambre pillo cualquier cosa de la nevera o me bajo a algún bar cercano a comer lo que sea, pizza, hamburguesas, patatas fritas o pasta – me da lo mismo mientras no tengan verduras. Hago deporte todos los días así que quemo todas las calorías que me sobran y no estoy para nada gordo. **Rafa**

El problema es que la gente de hoy en día trabaja demasiado y no dedica nada de tiempo a cocinar. En el supermercado cada vez hay más comida preparada que solo tienes que calentar en el microondas y que contiene un montón de calorías y no es nada buena. Yo la verdad que tengo suerte porque desde pequeño me he acostumbrado a comer de todo, pero eso si todo fresco. Tengo un pequeño huerto en el jardín y recojo verduras y frutas todos los días y mi mujer las cocina. Tenemos un mercado cerca, con carne y pescado del día así que en casa tenemos una dieta variada y sana. Mis hijos comen de todo. **Fernando**

Pues yo sí que intento cuidar mi dieta y comer de todo, vamos la típica dieta mediterránea que todo el mundo conoce: frutas, verduras, pescado y carne. El problema son mi marido y mis hijos. No prueban el pescado, y las verduras a regañadientes. Así que cocinar es una pesadilla. En cuanto me descuido cogen las galletas, el chocolate, la bollería, las golosinas o los refrescos y no paran. Y como a mi marido también le gustan tenemos la despensa llena. En fin que en mi casa eso de la dieta sana y la nutrición no tiene mucho impacto. **Sonia**

2 Lee el artículo sobre los hoteles ecológicos y contesta a las preguntas en español. *(6 marks)*

1 ¿Qué resultados da la búsqueda de 'hotel ecológico' en Google? *(1 mark)*

2 ¿Por qué ésta búsqueda no es del todo fiable? *(1 mark)*

3 ¿Qué son Swan, la Flor y Eco Label? *(1 mark)*

4 ¿Por qué la cadena Scandic ha recibido la etiqueta Swan? Nombra 2 razones. *(2 marks)*

5 ¿Se ven etiquetas ecológicas normalmente en los hoteles de España? ¿Por qué? *(1 mark)*

El auge del hotel ecológico

No es verde todo lo que reluce.

La etiqueta de moda en el turismo es el "eco turismo". Si buscas en Google "hotel ecológico", encontrarás unos cinco millones de páginas. No todos deben ser reales, porque si no, el planeta ya estaría a salvo. ¿Cuántas veces se usa esta etiqueta para otorgar una apariencia ecológica pero superficial a un hotel convencional?

Hay tres etiquetas que sí ofrecen la tranquilidad de un turismo responsable y respetuoso con la naturaleza. En los países nórdicos, la etiqueta Swan es un símbolo que identifica productos y servicios respetuosos con el medio ambiente. Los alojamientos de la cadena *Scandic* han recibido el símbolo del cisne. En las habitaciones, la madera, el algodón y la lana sustituyen al plástico y los tejidos sintéticos. Hasta el champú es biodegradable y los desayunos, de cultivo biológico.

La Flor es otra ecoetiqueta de la Unión Europea para detectar la eficiencia en el uso de la energía por vías renovables y el ahorro del agua y de la luz.

La tercera etiqueta es Eco Label. En la página web de *eco label tourism*, se ofrece una lista completa de los hoteles europeos que cumplen con los requisitos verdes.

Sólo hay tres hoteles españoles en la lista, y el gobierno español no tiene ningún sello verde oficial, aunque se está estudiando la forma de englobar bajo una etiqueta a todos los entornos diferentes de la industria del turismo.

3 Lee el artículo sobre los peligros de los deportes de riesgo y busca la palabra o expresión sinónima de las frases 1–6. *(6 marks)*

1 Falleció

2 Agua de un rio

3 Que no ha recibido lesión o daño

4 Conjunto de datos obtenidos tras un estudio

5 Tener cuidado

6 Con estudios

¿Adrenalina o peligro?

Una joven sevillana de 25 años murió ayer al caerse cuando hacía goming, una variante del puenting, en una localidad del norte cerca de la frontera francesa. Fuentes de la Guardia Civil, que recibieron el aviso del accidente sobre las tres de la tarde confirmaron que la joven murió al romperse la cuerda elástica de la que se había colgado y estrellarse contra la superficie del río, que apenas tiene caudal, cuando ésta se rompió a unos 20 metros del suelo.

A este trágico accidente se le suma el ataque de un cocodrilo a un joven australiano cuando hacía puenting sobre un pantano en el sur de la localidad gallega de Pontevedra. En este caso el joven resultó ileso pero el incidente podría haber resultado en serias heridas. Menos suerte tuvo el monitor alemán que resbaló cuando se desprendieron unas piedras de la ladera de la montaña, mientras guiaba a un grupo de jóvenes montañeros. Quedó atrapado en la boca de un barranco y se rompió varias costillas y una pierna.

Sin embargo, las estadísticas apuntan a que, cada vez más, los españoles demandan el "subidón de adrenalina" que suponen las actividades más extremas, como el barranquismo, el paracaidismo, el ala delta o el *rafting* entre otros. En Aragón – una de las mejores zonas de Europa para practicar el *turismo activo* – están registradas más de 50 empresas legales que se dedican a los deportes de riesgo. Y en Cataluña, el *rafting* – navegación por aguas bravas – mueve más de 12 millones de euros al año en la Noguera Pallaresa.

Se las clasifica como experiencias emocionantes, difícil de describir con palabras pero se recomienda ir con ojo a la hora de seleccionar las empresas que ofrecen estos paquetes de turismo activo ya que no todas reúnen las condiciones necesarias y muchas no cuentan con personas tituladas.

4 Lee las frases y escribe la forma adecuada de la palabra entre paréntesis. *(5 marks)*

1 Anoche deberían haber _____ un taxi en vez del coche porque bebieron bastante alcohol durante la cena.

(coger)

2 Si vas al gimnasio todos los días, _____ peso enseguida.

(perder)

3 Estuve _____ de dieta seis meses y solo adelgacé dos kilos.

(comer)

4 No creo que la Ley Antitabaco _____ en España.

(funcionar)

5 Es imposible que Pepa se _____ levantado ya después del esfuerzo físico de ayer.

(haber)

Listening

5 Espacio de ocio

Listen to the radio programme about family holidays and answer the questions in English. *(8 marks)*

1 What is the first decision a family has to make about their holidays? *(1 mark)*
2 What places are recommended if you have children? *(1 mark)*
3 Why is the north of Spain recommended by the speaker? Mention 3 reasons. *(3 marks)*
4 Why is Andalucía a good travel destination? Mention 2 reasons. *(2 marks)*
5 What type of accommodation is suggested by the speaker? *(1 mark)*

6 El estrés en la vida moderna

Escucha esta noticia sobre el estrés en España y selecciona la respuesta correcta, según la información que oyes. Escribe la letra **A**, **B** o **C**. *(7 marks)*

1 A El porcentaje de españoles con estrés es pequeño.
  B Cada vez hay más personas con estrés en España.
  C El número de personas con estrés en España ha disminuido este año.
2 A Un tercio de los trabajadores sufre estrés.
  B Tres de cuatro trabajadores padece de estrés.
  C Uno de cuatro trabajadores tiene estrés.
3 A El estrés causa el 4% por ciento de las bajas laborales anuales.
  B El estrés causa el 4% por ciento de las bajas laborales mensuales.
  C El estrés no es la causa de ninguna baja laboral.
4 A Los hombres padecen de más estrés que las mujeres.
  B Las mujeres padecen de más estrés que los hombres.
  C Las personas a las que más afecta son las que tienen entre 30 y 45 años.
5 A Una de las causas del estrés en el trabajo es la competitividad.
  B Los largos horarios son la causa más común del estrés.
  C La falta de organización hace que los trabajadores se estresen.
6 A Comer bien es lo más importante para combatir el estrés.
  B Ir al gimnasio es el ejercicio que necesitas para descargar el estrés.
  C El ejercicio y una dieta buena son los dos componentes necesarios contra el estrés.
7 A El yoga te ayuda a tener mejor flexibilidad.
  B Con el yoga aprendes a controlar tus emociones.
  C El yoga relaja la mente y te vuelve pasivo.

Writing

7 Answer one of the following questions in Spanish. You must write a minimum of 200 words.

A **La nueva Ley Antitabaco entró en vigor en España el 2 de enero de 2011 y prohíbe fumar en todos los lugares públicos incluyendo bares y restaurantes.**

> La idea me parece genial. Odio salir por la noche y apestar a tabaco.

> Pero si ya hay espacios habilitados para fumar. Ahora encima nos toca salir a la calle a fumarnos un cigarillo. ¡Qué fastidio!

> Yo me alegro porque no fumo pero la hostelería va a perder mucho dinero.

Lee las tres opiniones sobre la prohibición del tabaco. ¿Y tú? ¿Estás en contra o a favor de la Ley Antitabaco?

B *Todos los jóvenes deberían tomarse un año sabático para viajar antes de ir a la universidad o empezar a trabajar.*

¿Qué opinas?

C En tu pueblo las instalaciones deportivas son viejas y escasas. Escribe una carta al concejal de Deporte y Cultura de tu Ayuntamiento quejándote de la situación.

Oral

8 Mira la información y prepárate para debatir las cinco preguntas.

¡Reserva ya tus vacaciones ideales en la Costa Blanca!

✓ Apartamentos en primera línea de mar
✓ Complejos con piscina
✓ Spa y masajes
✓ Clases matutinas de yoga
✓ Las mejores tarifas que puedas encontrar
✓ Reserva antes del fin de mes y tendrás un 10% de descuento en el precio total

¿A qué esperas? Llámanos y disfruta de un máximo relax este verano.

1 ¿Qué se trata aquí?
2 ¿Qué tipo de vacaciones prefieres?
3 ¿Crees que es una pérdida de tiempo pasar las vacaciones tirado en la playa y sin hacer nada?
4 ¿Qué beneficios tiene ir de vacaciones?
5 ¿Crees que las vacaciones son el momento para mejorar la salud?

9 Elige una lista de preguntas y prepara las respuestas para la conversación.

A El deporte

1 ¿Qué haces para mantenerte en forma?
2 ¿Prefieres los deportes individuales o de equipo? ¿Por qué?
3 ¿Qué beneficios tiene practicar deportes?
4 ¿Te atraen los deportes de aventura? ¿Por qué?
5 ¿Qué busca la gente que practica deportes de aventura y riesgo?
6 Los gimnasios son para la gente que quiere perder peso, ¿estás de acuerdo?
7 ¿Por qué hay cada vez más jóvenes obesos?
8 ¿Crees que el fútbol es el deporte más popular en España?
9 ¿Cuáles serían las ventajas y los inconvenientes de que se celebraran unos Juegos Olímpicos en España?
10 ¿Cuáles crees que son las cualidades de un buen deportista?

B La salud y el bienestar

1 ¿Crees que llevas una vida sana?
2 ¿En qué consiste una dieta sana para ti?
3 ¿Qué piensas de la comida basura?
4 ¿Por qué crees que existen cada vez más personas con trastornos alimenticios?
5 ¿Cuál es tu opinión sobre el tabaco?
6 ¿Crees que se debería prohibir fumar en sitios públicos en todos los países?
7 ¿Qué le aconsejarías a una persona para que dejara de fumar?
8 El botellón es un fenómeno en España ¿qué motiva que los jóvenes consuman alcohol?
9 La mayoría de los accidentes de tráfico durante los fines de semana son a causa del alcohol, ¿qué se podría hacer para controlar eso?
10 ¿Crees que la legalización de las drogas resolvería el problema?

Reading

1 Lee el texto sobre como casarse en Argentina. Empareja el principio de cada frase (1–6) con el final más adecuado (a–i). *(6 marks)*

1 Antes de casarte

2 A los 21 los solteros

3 Si te divorcias en un país de habla no hispana

4 Si uno de los padres no está presente

5 Si quieres más de dos testigos

6 A los 16 los hombres

a tienes que comprobar tu estado de salud.

b debes pedir la mano de la novia.

c pueden casarse con la firma de los padres.

d pueden casarse sin el permiso de los padres.

e necesitas tener los documentos traducidos.

f necesitas su permiso por escrito.

g hay un costo.

h pueden casarse con la autorización de un juez.

i hay que presentar el carnet de identidad y los documentos en español.

Registro Civil de Argentina
Información para los que quieren casarse

Ya tomaste la decisión de casarte. Lo demás es muy fácil. Te decimos cómo es el trámite del matrimonio.

Sólo se requiere un par de visitas al registro civil, y una al hospital para unas pruebas de sangre y orina. (Sólo se trata de la cuestión legal, aquí no se incluyen los pasos a seguir para la ceremonia religiosa.)

Los novios solteros y mayores de edad deben presentarse con la tarjeta de identidad.

Si eres divorciado, debes llevar también la partida de matrimonio original con la inscripción del divorcio. Nota: Si te casaste o te divorciaste en el extranjero, necesitarás los documentos traducidos al español y autorizados por la administración argentina.

Las mujeres de 16 a 20 años y los hombres de 18 a 20 deben llevar su acta de nacimiento y documentos de los padres. En el acto de celebración del matrimonio, los padres tienen que dar su autorización. En el caso de edades inferiores se necesita obtener una dispensa de un juez competente. Si un padre está presente y el otro ausente, hay que presentar una autorización del padre ausente debidamente legalizada.

La ceremonia no tiene costo, pero si quieren que firmen el registro más de dos testigos, hay que pagar 15 pesos por cada uno. Los invitados compran el arroz.

---

2 Estas personas necesitan ayuda. Lee sus comentarios (1–6) y emparéjalos con las secciones donde se encuentra la información que necesitan (a–n). *(6 marks)*

¿Para qué están los amigos?

1 Mi mejor amiga se casa este año y le queremos preparar una despedida de soltera por todo lo alto. Es la más tímida del grupo de amigos y nos ha dicho que no quiere dar la nota por las calles pero a nosotras nos da igual. Queremos organizar algo muy original.

2 Mi amigo Carlos siempre se está quejando de que no tiene pareja pero es que no hace nada para conocer a gente nueva. Todos los del grupo estamos casados o con novia menos él. Creo que le voy a organizar una cita a ciegas.

3 Tengo un amigo al que no he visto en años. Hablamos de nuestras cosas por Internet todas las semanas y siempre comentamos que queremos organizar un viaje a alguna parte para vernos. Creo que le voy a dar una sorpresa y le voy a ir a visitar este verano.

4 Estoy muy emocionada. Por fin me voy a independizar. Me voy a vivir con mis dos mejores amigas. Va a ser increíble porque las tres nos llevamos genial. Necesitamos empezar a buscar piso ya.

5 Acabo de tener una pelea con mi mejor amigo porque dice que desde que tengo novia pasó de él. Me sentí fatal después de la conversación porque es una persona muy importante para mí. Necesito disculparme y le voy a invitar a pasar el fin de semana en mi casa de la costa. También voy a contratar un curso de buceo, solos él y yo.

6 Mi compañera de trabajo está muy extraña últimamente. Es una persona muy dinámica y alegre y siempre nos pasamos la hora del café hablando. Nos hemos hecho muy amigas y me ha ayudado un montón desde que empecé a trabajar en la oficina. Creo que tiene mucho estrés en casa y en el trabajo. Le voy a sugerir apuntarse conmigo a alguna clase de meditación y relax a ver qué le parece.

a Alquiler y venta

b Celebraciones y eventos

c Cursos de belleza

d Cursos de decoración

e Deportes acuáticos

f Deportes de montaña

g Disfraces

h Encuentros y citas

i Fotografía

j Gimnasios

k Hoteles

l Transporte

m Viajes

n Yoga

3 Lee el texto sobre las relaciones sexuales en la adolescencia y decide en qué párrafo (1–4) se encuentran las siguientes afirmaciones (a–g).

(6 marks)

1 Uno de los aspectos que más preocupa a los padres cuando sus hijos entran en el periódo de la adolescencia es el comienzo de la actividad sexual. Saben que actualmente las relaciones sexuales comienzan a una edad más temprana que cuando ellos eran jóvenes y no les resulta fácil hablar de ello con sus hijos porque normalmente los jóvenes evitan hablar de este tema con sus padres.

2 A menudo la primera relación con penetración tiene lugar entre los 16 y los 18 años. Afortunadamente el uso de medidas preventivas en esta primera relación es cada vez más frecuente porque son conscientes de los riesgos que pueden correr. Pero existen todavía múltiples razones por las que algunos jóvenes no siempre utilizan el preservativo.

3 Los jóvenes afirman que muchas veces estas últimas situaciones se deben al alcohol, a la novedad de la sexualidad, a la inseguridad en la pareja o a la falta de disponibilidad de preservativos en el momento. Esto hace que el control disminuya y así mismo haya una mayor desprotección frente a los embarazos no deseados, al sida (VIH) y a otras Infecciones de Transmisión Sexual (ITS).

4 El Ministerio de Sanidad y Consumo quiere lanzar una nueva campaña para evitar estas situaciones que va a ir dirigida tanto a los padres como a los hijos. Es importante que los jóvenes tengan toda la información que necesiten para tomar las decisiones adecuadas y es necesario que los padres formen parte de ello. Nuevos cursos, nuevos centros y nuevos teléfonos van a formar parte de esta campaña que empieza en verano con el slogan: ¿quién actúa esta noche?

a Los padres deben participar en la educación sexual de los hijos.

b Los padres son conscientes de las relaciones sexuales de los hijos.

c La mayoría de los jóvenes usan protección.

d La bebida es una de las causas por las que los jóvenes pueden terminar no utilizando protección en las relaciones sexuales.

e Los jóvenes van a tener mucha más información sobre la sexualidad en breve.

f Las relaciones sexuales empiezan cada vez más pronto.

4 Lee las frases y escribe la forma adecuada de la palabra entre paréntesis. *(5 marks)*

1 Yo me llevo mejor con mis hijas que Marta con las

_____.

(suyo)

2 Es importante que las parejas hablen para que la relación _____ estable.

(ser)

3 Me independicé en cuanto _____ un trabajo permanente.

(encontrar)

4 Mi padre que dijo: ¡Cálmate y _____ de gritar que no estoy sordo!

(parar)

5 ¿Conoces a alguien que _____ familia numerosa?

(tener)

Listening

5 Mi mejor amigo es parte de la familia

Escucha a Miguel contar la historia de su mejor amigo. En la lista (a–n) hay 7 **frases correctas**. Escribe las siete letras correctas. *(7 marks)*

a Miguel conoció a su amigo Roberto en el colegio.

b Roberto tenía un año más que Miguel.

c Miguel no se integró en el grupo de amigos de Roberto.

d Miguel y Roberto se hicieron inseparables.

e Se pasaban las horas hablando de fútbol.

f Perdieron el contacto porque Miguel se mudó a Madrid.

g Se volvieron a encontrar por casualidad en el aeropuerto.

h Roberto no reconoció a Miguel al principio.

i Roberto se mudó a Madrid para trabajar en el aeropuerto.

j Se dieron los e-mails para estar en contacto.

k La conversación fue un poco extraña.

l Roberto pasó a formar parte del grupo de amigos de Miguel.

m Miguel no se lleva muy bien con su hermana.

n Su mejor amigo se casó con su hermana el año pasado.

6 El descenso de la natalidad en España

Escucha esta noticia sobre la bajada del índice de natalidad en España y escribe el número necesario para cada frase. *(8 marks)*

1 Porcentaje de la caída de la natalidad en España en 2009.

2 Número de niños y niñas nacidos en España en 2009.

3 Cantidad de euros que el "cheque bebé" da por cada nacimiento.

4 Cantidad de euros que el "cheque bebé" da a las madres solteras.

5 La edad media de las mujeres españolas cuando tienen su primer hijo.

6 Posición de Asturias en cuanto a la natalidad con respecto a otras provincias.

7 Porcentaje de la caída del número de bodas celebradas en 2009.

8 Número de bodas homosexuales.

Writing

7 Answer one of the following questions in Spanish. You must write a minimum of 200 words.

1 Read the question carefully.

2 Produce a plan with an introduction and a conclusion. Each paragraph should provide a strong point to support your argument.

3 Check that your planned answer is relevant.

4 Back up your points with examples.

5 Back up your opinions with justifications.

6 Vary your vocabulary as much as you can.

7 Use different tenses and grammatical structures.

8 End with a conclusion that briefly sums up your argument.

9 Carry out a final check for relevance and accuracy.

10 Make sure you have written a minimum of 200 words – but don't write more than 250 or so.

A **¿No quieres tener otro hijo?**

Mi abuelo tenía seis hermanos y mi abuela ocho. Las familias en el pasado eran muy numerosas.

Pues yo con tener un hijo solo me conformo. Cobrando mil euros al mes no se pueden hacer milagros.

Tener hijos no entra en mis planes. No tengo pareja y lo que me interesa es viajar y descubrir el mundo.

Las familias españolas de hoy en día tienen menos hijos que antes.

¿A qué crees que es debido?

B Cada vez hay menos matrimonios, más divorcios, más gente soltera y más gente compartiendo piso con amigos o con su pareja pero sin formalizar nada. ¿Cuál sería el tipo de relación ideal para ti?

C *"A la familia no la eliges pero a los amigos sí. Por eso es importante tener gente en la que puedas confiar y con los que te sientas bien en tu círculo de amigos".* ¿Qué significa la amistad para ti?

Oral

8 Mira la información y prepárate para debatir las cinco preguntas.

Los divorcios se aceleran en España en el siglo XXI.

Año	Número de divorcios
2010	98.993
2000	37.743
1990	23.191
1985	18.291

1 ¿Qué tema se trata aquí?

2 ¿Por qué crees que cada vez hay más divorcios en nuestra sociedad?

3 ¿Qué influencia puede tener el divorcio sobre los hijos?

4 ¿Crees en el matrimonio para toda la vida?

5 ¿Te gustaría casarte en un futuro? ¿Por qué?

9 Elige una lista de preguntas y prepara las respuestas de la conversación.

A Las relaciones con la familia

1 ¿Qué tipo de relación tienes con tu familia?

2 ¿Tienes una relación abierta con tus padres y les cuentas todo lo que te preocupa?

3 ¿Qué es lo más importante para ti en una familia?

4 ¿Tienes libertad en casa o te gustaría cambiar algunas cosas?

5 ¿Crees que las familias son cada vez menos tradicionales? ¿Por qué?

6 ¿Qué opinas de las familias mono parentales?

7 ¿Cuáles son las ventajas y los inconvenientes de tener una familia numerosa?

8 ¿Qué características crees que son necesarias para ser padre?

9 ¿Crees que los padres deberían ser los mejores amigos de sus hijos?

10 ¿Te gustaría tener una familia en el futuro?

B Las amistades

1 ¿Cómo definirías a un amigo?

2 ¿Cómo es tu mejor amigo o amiga?

3 ¿Cómo os conocisteis?

4 Es importante la sinceridad entre amigos, ¿pero siempre debes decir lo que piensas?

5 ¿Crees que siempre debes perdonar a tus amigos cuando cometen un error?

6 ¿Has sido criticado, juzgado o rechazado por tus amigos alguna vez? ¿Crees que fue justo o injusto?

7 ¿Qué opinas de la gente que tiene muchos amigos en Facebook?

8 ¿Crees que es posible que una chica puede ser la mejor amiga de un chico?

9 ¿Alguna vez te has peleado con un amigo? ¿Cómo lo habéis resuelto?

10 ¿Qué diferencia existe entre la amistad y el amor?

Grammar

This section sets out the grammar covered in *Ánimo* 1 as a comprehensive unit but is not a complete grammar. Students should also refer to the Spanish Grammar Workbook and other reference books.

1 Nouns and determiners

Nouns are the words used to name people, animals, places, objects and ideas.

1.1 Gender: masculine and feminine

All nouns in Spanish are either masculine or feminine. Endings of nouns **often** indicate their gender, but do not always do so. Many of the exceptions are fairly common words.

Masculine endings	Exceptions
-o	*la radio, la mano, la modelo, la foto*
-e	*la calle, la madre*
-i	*la bici*
-u	*la tribu*
-or	*la flor*

Also masculine are:

- words ending in a stressed vowel, e.g. *el café*
- rivers, seas, lakes, mountains and fruit trees
- cars, colours, days of the week, points of the compass

Feminine endings	Exceptions
-a	*el poeta, el futbolista, el planeta, el día, el problema, el clima, el tema*
-ión	*el avión, el camión*
-ad/-tad/-tud	–
-z	*el pez, el lápiz*
-is	*el análisis, el énfasis*
-ie	*el pie*
-umbre	–
-nza	–
-cia	–

Also feminine are:

- letters of the alphabet, islands and roads
- countries, cities and towns, though there are exceptions such as *(el) Perú* and *(el) Canadá*
- Nouns referring to people's jobs or nationalities usually have both a masculine and a feminine form:

  el actor/la actriz
  el profesor/la profesora
  el abogado/la abogada

- Sometimes there is only one form used for both masculine and feminine:

  el/la cantante   el/la periodista   el/la artista

154

- Some nouns referring to animals have only one gender whatever their sex:

  la serpiente, el pez, la abeja

- Some nouns have two genders which give them different meanings:

el corte – cut of hair or suit	*la corte* – the royal court
el capital – money	*la capital* – capital city
el frente – front	*la frente* – forehead
el guía – guide	*la guía* – guide book (or female guide)
el orden – numerical order	*la orden* – order as in command
el policía – policeman	*la policía* – police force
el pendiente – earring	*la pendiente* – slope

- Names of companies, associations or international bodies take their gender from that group, whether it is stated as part of the title or simply understood:

  la ONU – la Organización de las Naciones Unidas
  la UE – la Unión Europea
  la Renfe – la Red Nacional de Ferrocarriles Españoles
  el Real Madrid – el (equipo de fútbol) de Real Madrid
  el Corte Inglés – el (almacén) Corte Inglés

1.2 Singular and plural

Singular refers to one of something; plural refers to more than one. To form the plural:

Add *-s* to nouns ending in a vowel or stressed *á* or *é*
el libro (book)	→	*los libros*
la regla (ruler)	→	*las reglas*
el café (café)	→	*los cafés*

Add *-es* to nouns ending in a consonant or stressed *í*
el hotel	→	*los hoteles*
el profesor	→	*los profesores*
el magrebí	→	*los magrebíes*

except for words ending in an *-s* which do not change in the plural
el lunes	→	*los lunes*
la crisis	→	*las crisis*

Some words add or lose an accent in the plural:
el joven	→	*los jóvenes*
el jardín	→	*los jardines*
la estación	→	*las estaciones*

Words that end in *-z* change this to *c* and add *es*:
el lápiz	→	*los lápices*
la voz	→	*las voces*

- Some words use a masculine plural but refer to both genders:

  los reyes – the king and queen
  los hermanos – brothers and sisters
  los padres – parents

- Surnames do not change in the plural:

  los Ramírez, los Alonso

- Some nouns are used only in the plural:

  las gafas – spectacles
  los deberes – homework
  las vacaciones – holidays

1.3 Determiners: definite and indefinite articles

Determiners are used with nouns and limit or determine the reference of the noun in some way. They can tell you whether the noun is masculine (m.), feminine (f.), singular (sing.) or plural (pl.).

The **definite article** (**the**) and the **indefinite article** (**a/an, some, any**) are the most common determiners.

	singular		plural	
	m.	f.	m.	f.
the	el	la	los	las
a/an	un	una	unos	unas

Note: A word which begins with a stressed *a* or *ha* takes *el/un* because it makes it easier to pronounce, but if it is feminine, it needs a feminine adjective:
El agua está fría.   *Tengo mucha hambre.*
This does not apply if the noun has an adjective before it:
la fría agua.

- When *a* or *de* comes before *el* then a single word is formed:

a + el	→	*al*
de + el	→	*del*

- Use the definite article with parts of the body and clothes, with languages (but not after *hablar*, *estudiar* or *saber*), with mountains, seas and rivers, and with certain countries and cities and people's official titles.

  Tengo la nariz larga.
  Me duele la cabeza.
  Me pongo el uniforme para ir al colegio pero en casa llevo los vaqueros y una camiseta.

 Grammar

El español es fácil.
Estudio francés desde hace dos años.
He visitado la India y la Ciudad de Guatemala.
el Rey don Juan Carlos I, la Reina doña Sofía

- Use the definite article before *señor/señora* when speaking about someone but not when speaking to someone.
Lo siento, el señor Ruíz no está. but
Buenos días, señor Ruíz.

- Use the definite article to refer to a general group but not when referring to part of a group and to translate 'on' with days of the week.
Las sardinas son muy nutritivas y las ostras también.
Siempre comemos sardinas los viernes al mediodía.

- The indefinite article is not used when
  – you refer to someone's profession, religion, nationality or status:
Soy profesora.
María es española.
Quiere ser astronauta.
Su padre es senador.
Juan es católico.

except if there is an adjective:

Es una buena profesora.
Es un francés muy educado.
  – you say you haven't got something:
No tengo hermanos. No tenemos dinero.
  – the noun refers to a general group:
Siempre comemos espaguetis con tomates.
  – *otro, tal, medio, qué, tal* or *mil* are used before a noun:
No hubo otro remedio.
Nunca quise hacer tal cosa.

1.4 The neuter article

This is used with an adjective to make an abstract noun.

Lo bueno es que … The good thing (about it) is …
No sé lo que quieres decir con eso. I don't know what you mean by that.

1.5 Demonstrative adjectives and pronouns

Demonstrative adjectives are used to point out an object or person. They always come before the noun.

singular		plural		
m.	**f.**	**m.**	**f.**	**things or persons**
este	esta	estos	estas	this/these: things or persons near the speaker (aquí)
ese	esa	esos	esas	that/those: near to the person spoken to (allí)
aquel	aquella	aquellos	aquellas	that/those: further away (ahí)

Me gusta esta camisa pero no me gusta esa camiseta ni aquella chaqueta. I like this shirt, but I don't like that t-shirt or that jacket over there.

Demonstrative pronouns take an accent and agree with the noun they are replacing. They **never** have a definite or indefinite article before them.

éste	ésta	éstos	éstas	something near to the speaker
ése	ésa	ésos	ésas	something near to the person being spoken to
aquél	aquélla	aquéllos	aquéllas	something further away from both of them

Hablando de camisas, ésta es mucho más bonita que ésa.
Tal vez, pero prefiero el color de aquélla.

Note: The forms *esto* and *eso* refer to general ideas or unknown things.

¿Qué es esto? ¡Eso es! ¿Eso es todo?

1.6   Possessive adjectives and pronouns

Possessive **adjectives** show who or what something belongs to. They come before the noun and take the place of the definite or indefinite article. Like all adjectives they agree with the noun they describe.

singular		plural		
masculine	**feminine**	**masculine**	**feminine**	
mi	mi	mis	mis	my
tu	tu	tus	tus	your
su	su	sus	sus	his/her/ your (formal)
nuestro	nuestra	nuestros	nuestras	our
vuestro	vuestra	vuestros	vuestras	your
su	su	sus	sus	their/ your plural (formal)

¿Es mi libro o su libro?
Nuestro colegio es pequeño.
¿Cuáles son tus asignaturas preferidas?

Remember to use a definite article with parts of the body and clothes and not a possessive adjective.
Voy a lavarme el pelo. Tienes que ponerte el abrigo.
Possessive **pronouns** are used instead of the noun. They **do have** a definite article before them.

singular		plural	
masculine	**feminine**	**masculine**	**feminine**
(el) mío	(la) mía	(los) míos	(las) mías
tuyo	tuya	tuyos	tuyas
suyo	suya	suyos	suyas
nuestro	nuestra	nuestros	nuestras
vuestro	vuestra	vuestros	vuestras
suyo	suya	suyos	suyas

Other determiners are:

● indefinite adjectives or pronouns and quantifiers:
 – *Alguien* (something) and *algo* (something) do not change their form:
 Alguien vino a verte. Algo ha pasado aquí.
 Algo can be used with an adjective or with *de*:
 Sí, es algo interesante. ¿Quieres algo de comer?
 Alguno (algún) must agree with the noun it describes:
 algún día de estos, alguna cosa
 – *Mucho, poco, tanto, todo, otro* and *varios* must agree with the noun they represent or describe.

– These two do not change before a noun:
cada – cada día (each/every day)
cualquier – cualquier cosa que necesites (whatever you need)
However, *cualquiera* is used after a noun of both masculine and feminine forms.

2   Adjectives

Adjectives are the words used to describe nouns.

2.1   Making adjectives agree

In English the adjective always stays the same whatever it is describing. In Spanish it changes to agree with the word it is describing according to whether this is masculine, feminine or plural.

● Many adjectives ending in *-o* (masculine) change to *-a* for the feminine form and add *-s* for the plural.
 negro – negra – negros – negras
 bonito – bonita – bonitos – bonitas

● Many other adjectives have a common form for masculine and feminine:
 un loro verde/una culebra verde
 unos loros verdes/unas culebras verdes

● Adjectives ending in *-án, -ón, -ín* and *-or* add an *-a/-as* for the feminine form and lose their accent:
 holgazán – holgazana
 ricachón – ricachona
 parlanchín – parlanchina
 hablador – habladora
 except for *interior, exterior, superior, inferior, anterior, posterior* and *ulterior*

● To make an adjective plural, follow the same rule as for nouns.
 Add *-s* to a vowel: *unos pájaros rojos, unas tortugas pequeñas*
 Add *-es* to a consonant: *unos ratones grises, unos perros jóvenes*
 Change *-z* to *-ces*: *un ave rapaz, unas aves rapaces*

● Some adjectives of colour never change:
 el vestido rosa, el jersey naranja

● When an adjective describes two or more masculine nouns or a mixture of masculine and feminine nouns, usually the masculine plural form is used:
 la casa y los muebles viejos

Grammar

- If the adjective comes before two nouns it tends to agree with the first noun:
  Tiene una pequeña casa y coche.

2.2 Shortened adjectives

Some adjectives lose their final *-o* before a masculine singular noun.
buen, mal, primer, tercer, ningún, algún
Es un muy buen amigo.

Any compound of *-un* shortens also:
Hay veintiún chicos en la clase.

Grande and *cualquiera* shorten before both masculine and feminine nouns:
Es un gran hombre. Es una gran abogada.
Cualquier día llegará. cualquier mujer

Santo changes to *San* except before *Do-* and *To-*:
San Miguel, San Pedro
but *Santo Domingo, Santo Tomás*

Ciento shortens to *cien* before **all** nouns
(see section 19).

2.3 Position of adjectives

In English, adjectives always come before the noun:
My little sister has a black cat.

In Spanish, adjectives usually come after the noun:
Mi hermana pequeña tiene un gato negro.

Numbers, possessive adjectives and qualifiers come before nouns:
mi primer día en el cole   poca gente
su último recuerdo   tanto dinero
muchas personas   cada día
otra semana

- Sometimes whether an adjective is positioned before or after the noun affects its meaning.
  un pobre niño   an unfortunate child
  but *un niño pobre*   a poor (penniless) child
  un gran hombre   a great man
  but *un hombre grande*   a tall man

  Other adjectives which vary in this way are:
  antiguo – former/ancient
  diferente – various/different
  varios – several/different
  nuevo – another/brand new
  medio – half/average

mismo – same/self
puro – pure/fresh

- Some adjectives have different meanings according to the context:
  extraño – unusual, rare/strange, weird
  falso – not true/false in the sense of counterfeit
  simple – only/not very bright/simple in taste
  verdadero – true/real, original

3 Adverbs

Adverbs are used to describe the action of a verb. They do not agree with the verb, so unlike adjectives they do not change. They can also describe adjectives or another adverb.

- Many adverbs are formed by adding *-mente* to an adjective:
  fácil   →   *fácilmente*
  posible   →   *posiblemente*
  normal   →   *normalmente*

- If the adjective has a different feminine form, you add *-mente* to this:
  lento → lenta + -mente   lentamente
  rápido → rápida + -mente   rápidamente

- Sometimes it is better to use a preposition and a noun:
  con frecuencia, con cuidado

- Sometimes an adjective is used as an adverb, e.g.
  Trabajamos duro todo el día.

- Some adverbs which do not end in *-mente*:
  siempre   nunca   muy   mucho   poco   bien
  mal   rara vez   muchas veces   a menudo
  algunas veces   a veces

  Bastante and *demasiado* can be both adjectives and adverbs.

- It is better not to start a sentence in Spanish with an adverb but there are some exceptions such as *solamente/sólo* and *seguramente*.

- When two or more adverbs are used together then only the last one has *-mente* added to it:
  El ladrón entró cautelosa, silenciosa y lentamente.

- Make sure adverbs of time are placed next to the verb.
  Hoy juega el Barça contra el Real./El Barça **juega hoy** contra el Real.

4 Comparisons

Adjectives and adverbs follow the same rules.

4.1 The comparative

To compare one thing, person or idea with another in Spanish use:

más … que	España es más grande que Guatemala. José habla más despacio que Pepe.
menos … que	Hay menos gente en Guatemala que en España.

- When *más* or *menos* is used with a number or a quantity, *de* is used in place of *que*.
  En mi colegio hay más de mil estudiantes pero en mi clase hay menos de treinta.

- To say one thing is similar to or the same as another, you can use:
  el/la mismo/a que – the same as
  tan … como – as … as
  tanto … como – as much … as

- To say the more/the less use:
  cuanto más/menos … (tanto) menos/más …
  Cuanto más considero el problema tanto más me confundo.
  Cuanto más trabajo parece que menos gano.

4.2 The superlative

The superlative compares one thing, person or idea with several others. To make a superlative, use:

el más   la más   los más   las más/menos
(mejor/mejores peor/peores)

Este libro es el más interesante que he leído en años.
Las películas de terror son las menos divertidas de todas.

- If the superlative adjective immediately follows the noun you leave out the *el/la/los/las*:
  Es el río más largo del mundo.

- Note that *de* translates 'in' after a superlative.

- Note that you need to add *lo* if the sentence contains more information:
  Me gustaría llegar lo más pronto posible.

- Absolute superlatives *-ísimo, -ísima, -ísimos, -ísimas* are added to adjectives to add emphasis and express a high degree of something.
  Tengo muchísimas ganas de verte.
  La comida estaba muy rica – riquísima.

Irregular forms of the comparative and superlative

These do not have different masculine and feminine forms.

| *bueno/a* | *mejor* | *el mejor/la mejor* |
| *malo/a* | *peor* | *el peor/la peor* |

Menor and *mayor*, meaning older and younger, can be used to mean bigger and smaller:
Mi hermano mayor es más grande que mi hermana mayor.
They are also used in set expressions:
La Fiesta Mayor, el Mar Menor

5 Prepositions and linking words

5.1 Prepositions

Prepositions are used before nouns, noun phrases and pronouns, usually indicating where a person or object is and linking them to the other parts of the sentence.

- Prepositions can be single words: *de, con, por* etc. or made up of more than one word: *al lado de, junto a* etc.

- When a verb follows the preposition in Spanish it must be in the infinitive form:
  después de entrar, al volver a casa, antes de comer

- Some verbs have a specific meaning when combined with a preposition:
  tratarse de – to be a question of
  pensar en – to think about
  pensar de – to think of

- Some prepositions tell you when something happens:
  durante, hasta, desde

Some prepositions can be quite tricky to translate into English:

- *A* = direction or movement to:
  Voy a Málaga.
  = at a specific point in time
  Voy a las once en punto.

- *En* = in and on and sometimes by
  en la mesa – on the table
  en el cuarto de baño – in the bathroom
  en coche/en avión/en tren – by car/by plane/by train

Grammar

- Remember that days of the week and dates do not take a preposition as they do in English.

- *Sobre* can mean on (top of), over, about (concerning) and about (approximately):

  El florero está sobre la mesa – the vase is on the table
  El avión voló sobre la ciudad – the plane flew over the city
  El reportaje es sobre la conferencia – the report is about the conference
  Hay sobre cien personas aquí – there are about 100 people here

- *De* can denote possession, of which material something is made, profession, part of a group or origin:

  el padre del niño – the boy's father
  la pulsera de oro – the gold bracelet
  la revista de muebles antiguos – the antique furniture magazine
  Trabaja de profesora – She works as a teacher
  unos pocos de ellos – a few of them
  Es de Marbella – He's from Marbella

- Many other prepositions are followed by *de*:

delante de	cerca de	detrás de	al lado de
enfrente de	debajo de	encima de	

  Remember *a + el = al*   *Vamos al mercado.*
  La cama está junto al armario.

  de + el = del   *Salen del cine a las siete.*
  Hay una silla delante del escritorio.

- Both *por* and *para* are usually translated by 'for' in English, but they have different uses:

  Por is used to mean:
  – along/through: *por la calle*
  – by/how: *por avión*
  – in exchange for something
  Quiero cambiarla por aquella camisa.
  Gana ocho euros por hora.
  – a period or length of time: *Voy a quedarme por un mes.*
  – cause: *¿Por qué estás estudiando?*
  Porque quiero sacar buenas notas.
  – It is also used with the passive:
  hecho por los Romanos
  Para is used to show:
  – who or what something is for: *Este regalo es para mi padre.*
  Tenemos un garaje para dos coches.

– purpose: *¿Para qué es esto?* What's this for?
– in order to: *Estudió mucho para pasar los exámenes.*
– future time: *Lo haré para cuando regreses.*

Some useful expressions:
por supuesto
¿Por qué?   *Porque …*
por eso   *por lo general*
por lo visto   *por fin*

- **The personal *a***

  This is not translated into English, but is used before object pronouns and nouns referring to specific and defined people and animals. It is a mark of respect to distinguish living things from objects.

  Busco a mi hermano. Quiero a mis abuelos. Pregunta a tu profe.
  It is not used after *tener*: *Tengo un hermano y dos primas.*
  It is not used if the person has not yet been specified:
  Se busca dependiente.

5.2   Conjunctions (connectives)

Conjunctions are used to connect words, phrases and clauses.

- Co-ordinating conjunctions link words or sentences of similar length:
  y, o, ni, pero, sino

- *Y* ('and') changes to *e* when the word that follows begins with *i* or *hi* (*not hie*): *Paco e Isabel, geografía e historia*
  but *granito y hierro*

- *O* ('or') changes to *u* when the word that follows begins with *o* or *ho*:
  siete u ocho albergues u hoteles

- *Pero* and *sino* both mean 'but'.
  – Use *sino* when the second part of the sentence contradicts the previous part with a negative.
  No quiero comer nada sino fruta.

  – Use *sino que* when both parts of the sentence have finite verbs:
  No sólo perdió su casa sino que murió su familia en el desastre.

- Subordinating conjunctions introduce a clause that is dependent on the main clause:
aunque, cuando, mientras, porque, ya que
Echa esta carta al buzón ya que te vas a Correos.

6 Pronouns

A pronoun is a word that can be used instead of a noun, idea or even a phrase. It helps to avoid repetition.

6.1 Subject pronouns

yo	I
tú	you singular (informal)
él, ella, usted	he, she, you (formal)
nosotros/as	we
vosotros/as	you plural (informal)
ellos, ellas, ustedes	they (m/f), you plural (formal)

The subject pronouns are not often used in Spanish as the verb ending generally indicates the subject of the verb. You might use them for emphasis or to avoid ambiguity.

¿Cómo te llamas?   *Sí, tú, ¿cómo te llamas?*
¿Quién – yo?   *Pues, yo me llamo Patricia.*

To refer to a group of people with one or more males in it, use the masculine plural form.
Y ellos, ¿cómo se llaman?
Él se llama Jairo y ella se llama Elisa.

6.2 Tú and usted, vosotros/as and ustedes

There are four ways of saying 'you' in Spanish.

	familiar	formal
singular	tú	usted (often written vd, takes the 'he/she' part of the verb)
plural	vosotros/as	ustedes (vds)

Tú and vosotros/as are used with people you know and with young people.

Usted and *ustedes* are used with strangers and people you do not know very well or to whom you want to show respect. They are used much more widely in Latin America than in Spain where the *tú* and *vosotros/as* form of address is generally encouraged.

6.3 Reflexive pronouns

Reflexive pronouns are used to make a verb reflexive and refer back to the subject of the verb.

me	(myself)
nos	(ourselves)
te	(yourself, informal singular)
os	(yourselves, informal plural)
se	(himself/herself/yourself formal)
se	(themselves, yourselves, formal plural)

They are often not translated into English:
Me levanto a las siete y después me ducho. I get up at seven and then I have a shower.

Remember when you use the perfect tense that the pronoun comes before the auxiliary *haber*.
Esta mañana me he levantado muy tarde. I got up very late this morning.

When you use the immediate future or a present participle it attaches to the end:
Voy a levantarme muy tarde el sábado.
I'm going to get up very late on Saturday.
Estoy levantándome ahora mismo.
I'm getting up this very minute.

They can also translate as 'each other':
Se miraron el uno al otro. – They looked at one another.
Se miró en el espejo. – He looked at himself in the mirror.

6.4 Direct object pronouns

Direct object pronouns are used for the person or thing directly affected by the action of the verb. They replace a noun that is the object of a verb.

me	(me)
te	(you, informal singular)
le	(him/you formal)
lo	(him/it)
la	(her/it)
nos	(us)
os	(you plural informal)
les	(them/you plural formal)
los	(them, masculine)
las	(them, feminine)

Te quiero mucho.
Le veo cada día.

6.5 Indirect object pronouns

An indirect object pronoun replaces a noun (usually a person) that is linked to the verb by a preposition, usually *a* (to).
¿Quién te da la paga?

- You also use them to refer to parts of the body.
Me duelen los oídos. My ears ache (I've got earache).

- When there are several pronouns in the same sentence and linked to the same verb they go in this order: reflexive – indirect object – direct object (RID)

6.6 Two pronouns together

When two pronouns beginning with *l* (*le/lo/la/les/los/ las*) come together then the indirect object pronoun changes to *se* (*se lo/se la/se los/se las*).
Quiero regalar un libro a mi padre.
Se lo quiero regalar. Quiero regalárselo.

Sometimes the pronoun *le* is added to give emphasis even though it is not needed grammatically. This is called a redundant pronoun.
Le di el regalo a mi padre.

6.7 Position of pronouns

Reflexive, direct object and indirect object pronouns usually

- immediately precede the verb:
No la veo. Sí la quiero. Se llama Lucía. Te doy mil euros.

- attach to the end of the infinitive:
Voy a verla mañana. Tengo que levantarme temprano.
Voy a darte un regalo. ¿Cuándo? Voy a dártelo enseguida.

- attach to the end of the present participle:
Estoy mirándolo ahora. Está bañándose. Estoy hablándote: ¿No me oyes?
However, it is now widely accepted to put them before the infinitive or the present participle.

- They are also attached to the end of a positive command.
Ponlo aquí. Levantaos enseguida.
Dámelo.
Póngalo aquí.
Levántense enseguida.
Démelo.
For possessive pronouns see section 1.6.

6.8 Disjunctive pronouns

These are used after a preposition (see section 4).

para mí	detrás de nosotros/as
hacia ti	entre vosotros/as
junto a él/ella/usted	cerca de ellos/ellas/ustedes

- Remember with *con* to use *conmigo, contigo, consigo.*

- A few prepositions are used with a subject pronoun: *entre tú y yo, según ella*

- Sometimes *a mí, a ti* etc. is added to give emphasis or avoid ambiguity:
Me toca a mí, no te toca a ti.
Le dije el secreto a ella, no a él.

6.9 Relative pronouns and adjectives

Some of these are determiners as well.

- The relative pronoun *que* – who, which or that – is always used in Spanish and not left out of the sentence as it often is in English.
Ese es el vestido que me gusta. That is the dress (that) I like.
Señala a la persona que habla. Point to the person (who is) speaking.

When a relative pronoun is used after the prepositions *a, de, con* and *en* then you need to use *que* for things and *quien/quienes* for people.
José es un amigo con quien estudiaba.
El programa del que hablas se llama El rival más débil.

- After other prepositions use *el cual, la cual, los cuales, las cuales*.
  La casa de la colina dentro de la cual se dice que hay un fantasma ya está en ruinas.

- Sometimes *donde* is used as a relative pronoun.
  La ciudad donde vivo se llama Bilbao.

- *cuyo/cuya/cuyos/cuyas* are used to mean 'whose' and are best treated as an adjective as they agree with the noun they refer to.
  Mi madre, cuyos perros no me gustan, viene a pasar unos días conmigo.
  Remember, to say 'Whose is this … ? you need to use *¿De quién es este … ?*

6.10   Neuter pronouns

Eso and *ello* refer to something unspecific such as an idea or fact:
No me hables más de eso.
No quiero pensar en ello nunca más.

Lo que/lo cual
These relative pronouns refer to a general idea or phrase rather than a specific noun.
Ayer hubo una huelga de Correos lo cual fue muy inconveniente.

7   Interrogatives and exclamations

7.1   Direct questions and exclamations

Asking questions and making exclamations in Spanish is straightforward: simply add question marks and exclamation marks at the beginning and end of the sentence, like this: ¿ … ? ¡ … ! There is no change to the words themselves or the word order.

- Make your voice rise slightly at the beginning when asking a question.
  Tienes hermanos. = statement
  ¿Tienes hermanos? = question

- Here are some common question words. Note that they all have accents.
  ¿Qué?   ¿Qué haces?
  ¿Por qué?   ¿Por qué hiciste eso?
  ¿Cuándo?   ¿Hasta cuándo te quedas?
                     ¿Desde cuándo vives en tu casa?

  ¿Cómo?
  ¿Dónde?
  ¿Adónde?
  ¿De dónde?
  ¿Quién? ¿Quiénes? ¿Con quién vas?
  ¿Cuál? ¿Cuáles?
  ¿Cuánto?/¿Cuánta?/¿Cuántos?/¿Cuántas?

- Here are some common exclamation words. Note that they all have accents.
  ¡Qué! ¡Cómo! ¡Cuánto/a/os/as!

7.2   Indirect questions and exclamations

- Indirect question words and exclamations also take an accent:
  No me dijo a qué hora iba a llegar.
  No sabes cómo y cuánto lo siento.

- If the adjective follows the noun then *más* or *tan* is added:
  ¡Qué niña más bonita!

8   Negatives

You can make a statement negative in Spanish simply by putting *no* before the verb:
No quiero salir.
No me gusta la historia.

- Some other common negatives are:
  ninguno (ningún)/ninguna = no (adjective)
  nada   nothing
  nadie   nobody
  nunca/jamás   never
  ni … ni …   neither … nor …
  tampoco (negative of *también*)   neither

- If any of these words is used after the verb, you have to use *no* as well. But if the negative word comes before the verb, *no* is not needed.
  No he fumado nunca.
  Nunca he fumado.

- You can use several negatives in a sentence in Spanish.
  Nadie sabía nada acerca de ninguno de ellos.

Grammar

9 Verbs: the indicative mood

A verb indicates **what** is happening in a sentence and the tense indicates **when**.

9.1 The infinitive

This is the form you will find when you look a verb up in the dictionary, a word list or vocabulary section. It will indicate which endings you should use for each tense and person. You will need to follow and understand the patterns of verbs and the various tenses so that you can check them in the verb tables in section 23.

In Spanish, verbs fall into three groups. These are shown by the last two letters of the infinitive:
-ar: comprar (to buy); *-er: comer* (to eat); *-ir: subir* (to go up)

The endings of Spanish verbs change according to the tense and the person or thing doing the action, and the group a verb belongs to indicates which endings you should use for each tense and person.

- The infinitive itself is often used after another verb.
  Common verbs usually followed by an infinitive are:

querer	to want	Quiero ver la tele esta noche.
gustar	to please	Me gusta bailar. Me gustaría ir al cine.
poder	to be able to	No puedo salir contigo.
tener que	to have to	Tengo que cocinar.
deber	to have to, must	Debemos hablar en voz baja.

- The impersonal expression *hay que* takes an infinitive:
  Hay que estudiar mucho para estos exámenes.

- *Soler*, used only in the present and imperfect tenses, indicates what usually happens:
  Suelo levantarme temprano. I usually get up early.
  ¿Qué solías hacer cuando eras joven, abuela? Solía jugar como tú.
  What did you used to do when you were little, grandma? I used to play just like you.

- The infinitive is used:
  – in impersonal commands and instructions:
  No arrojar escombros. Abrir con cuidado.
  – as a noun:
  Estudiar es duro cuando hace calor.

For verbs which take *a* or *de* + infinitive, see section 18.1. The infinitive also follows prepositions: see section 18.2.
For the past infinitive see section 9.10.

9.2 The present tense

To form the present tense of regular verbs, add the following endings to the stem of the verb.

Regular verbs			Reflexive verbs
comprar	**comer**	**subir**	**levantarse**
compro	como	subo	me levanto
compras	comes	subes	te levantas
compra	come	sube	se levanta
compramos	comemos	subimos	nos levantamos
compráis	coméis	subís	os levantáis
compran	comen	suben	se levantan

- Spelling changes
  Some verbs change their spelling to preserve the same sound as in the infinitive:
  – before the vowels *e* and *i*:
  c > qu: sacar – saqué
  g > gu: pagar – pagué
  z > c: empezar – empecé
  – before the vowels *a* and *o*:
  g > j: coger – cojo/coja
  gu > g: seguir – sigo, sigues
  – from *i* to *y* when unaccented and between vowels:
  – *construyó* but *construimos*

- Some verbs add an accent:
  continuar – continúo, continúas, continúa etc.
  enviar – envío, envías, envía etc.

- Radical changes: where the stem of the verb changes

o > ue	**contar** – cuento, cuentas, cuenta, contamos, contáis, cuentan **dormir** – duermo, duermes, duerme, dormimos, dormís, duermen
u > ue	**jugar** – juego, juegas, juega, jugamos, jugáis, juegan
e > ie	**empezar** – empiezo, empiezas, empieza, empezamos, empezáis, empiezan
e > i	**pedir** – pido, pides, pide, pedimos, pedís, piden

- Irregular verbs
The most common you will need are:

ser	soy, eres, es, somos, sois, son
estar	estoy, estás, está, estamos, estáis, están
ir	voy, vas, va, vamos, vais, van
tener	tengo, tienes, tiene, tenemos, tenéis, tienen
hacer	hago, haces, hace, hacemos, hacéis, hacen

Some verbs are only irregular in the first person of the present tense then follow the regular pattern:

poner – pongo, pones etc.
salir – salgo, sales etc.
caer – caigo, caes etc.
conducir – conduzco, conduces etc.
See the verb tables in section 23.

Note: *Hay* = there is/there are

- Use the present tense
– to indicate what is happening
¿Adónde vas? Voy al cine.
– to express what happens regularly, a repeated action or habit
Veo la tele cada noche a las siete.
– to refer to something that started in the past and continues into the present (note that the perfect tense is used here in English)
Vivo aquí desde hace años.
– to refer to historical events (the historical present)
Aquella noche, el 23 de febrero de 1981, habla el Rey por la radio y la tele …
– to refer to something timeless or universal
El planeta Tierra gira alrededor del sol.
– to express the future
Adiós. Nos vemos mañana.

9.3 The present continuous

This is formed by taking the present tense of *estar* and the present participle (gerund) of the main verb, formed as follows:
ar → ando   *er → iendo*   *ir → iendo*
Exceptions are *leyendo, durmiendo, divirtiendo*.
¿Qué estás leyendo?
¡Callaos! Están durmiendo.

- It indicates what is happening at the time of speaking or that one action is happening at the same time as another. It follows the English pattern closely.

- It is often used with *pasar* to express how you spend time.
Paso el tiempo divirtiéndome, viendo la tele, haciendo deporte.

- It is often used also after *seguir, ir* and *llevar*.
Sigo estudiando a los treinta años.
Los precios van subiendo cada día más.
Llevo cinco años estudiando medicina.

9.4 The preterite tense

This is formed by adding the following endings to the stem of the verb:

-ar: -é -aste -ó -amos -asteis -aron -er/-ir: -í -iste -ió -imos -isteis -ieron

Regular verbs

comprar	comer	subir
compré	comí	subí
compraste	comiste	subiste
compró	comió	subió
compramos	comimos	subimos
comprasteis	comisteis	subisteis
compraron	comieron	subieron

- Spelling changes
Some verbs change their spelling to preserve the same sound as in the infinitive:
c → qu before *e: sacar – saqué, sacaste, sacó* etc.
g → gu before *e: pagar – pagué, pagaste, pagó* etc.
z → c before *e: empezar – empecé, empezaste, empezó* etc.
i → y: creer – creí, creiste, creyó, creimos, creisteis, creyeron (also *leer, oír, caer*)
gu → gü: averiguar – averigüé, averiguaste, averiguó etc.

- Radical changes
  -ir verbs change in the third person singular and plural:

  o → u: morir – murió, murieron (also *dormir*)
  e → i: pedir – pidió, pidieron (also *sentir, mentir, seguir, vestir*)

- Some common irregular verbs. Note that there are no accents.

  It helps to learn irregulars in groups; some follow a pattern of *uve*:

andar	*anduve, anduviste, anduvo, anduvimos, anduvisteis, anduvieron*
estar	*estuve, estuviste, estuvo, estuvimos, estuvisteis, estuvieron*
tener	*tuve, tuviste, tuvo, tuvimos, tuvisteis, tuvieron*

Note *ser* and *ir* have the same form so *fui* can mean 'I went' or 'I was'.

fui fuiste fue fuimos fuisteis fueron

Dar and *ver* follow a similar pattern.
dar – di, diste, dio, dimos, disteis, dieron
ver – vi, viste, vio, vimos, visteis, vieron

A larger group are quite irregular:

hacer	haber	poder	poner	querer	venir
hice	hube	pude	puse	quise	vine
hiciste	hubiste	pudiste	pusiste	quisiste	viniste
hizo	hubo	pudo	puso	quiso	vino
hicimos	hubimos	pudimos	pusimos	quisimos	vinimos
hicisteis	hubisteis	pudisteis	pusisteis	quisisteis	vinisteis
hicieron	hubieron	pudieron	pusieron	quisieron	vinieron

- Use the preterite
  – to refer to events, actions and states started and completed in the past
  El año pasado hubo una huelga de los empleados del metro.
  – to refer to events, actions or states which took place over a defined period of time but are now completely finished
  Mis padres vivieron en Guatemala durante tres años.

9.5 The imperfect tense

This is formed by adding the following endings to the stem:

-ar: -aba -abas -aba -ábamos -abais -aban
-er/-ir: -ía -ías -ía -íamos -íais -ían

There are only three irregular verbs (*ir*, *ser* and *ver*).

comprar	comer	subir	ir	ser	ver
compraba	comía	subía	iba	era	veía
comprabas	comías	subías	ibas	eras	veías
compraba	comía	subía	iba	era	veía
comprábamos	comíamos	subíamos	íbamos	éramos	veíamos
comprabais	comíais	subíais	ibais	erais	veíais
compraban	comían	subían	iban	eran	veían

- Use the imperfect tense:
  – to indicate what used to happen (a regular or repeated action in the past)
  De niño iba a pie al colegio.
  – to say what happened over a long (indefinite) period of time
  Durante el invierno hacía mucho frío.
  – to say what was happening (a continuous action)
  Mirábamos la puesta del sol.
  – together with the preterite tense to denote interrupted action
  Mirábamos la puesta del sol cuando nos dimos cuenta de la hora.
  – to describe what someone or something was like in the past
  Josefa era una chica muy formal.
  – to describe or set the scene in a narrative in the past
  La lluvia caía como una cortina gris.
  – in expressions of time (where English would use a pluperfect)
  Acababa de llegar cuando tuvo una sorpresa grande.
  Esperaba su respuesta desde hacía más de un mes.
  – to make a polite request
  Quería pedirte un gran favor.

9.6   The imperfect continuous

This is formed by taking the imperfect form of *estar* and adding the present participle.
¿Qué estabas haciendo? Estaba bañándome.
¿Qué es lo que estaba pasando? Estaban divirtiéndose bastante.

Just like the present continuous it indicates what was happening at a particular moment – in this case in the past. It is also used to describe one action interrupted by another:
Estaba leyendo el periódico cuando llegó el correo.

9.7   The future tense

This is formed by taking the infinitive of regular verbs and adding the following endings:

-é -ás -á -emos -éis -án

Irregular futures have the same endings as the regular ones – it is the stem that changes.

comprar	comer	subir	Some common irregular verbs
compraré	comeré	subiré	decir → diré haber → habré
comprarás	comerás	subirás	hacer → haré poder → podré
comprará	comerá	subirá	poner → pondré querer → querré
compraremos	comeremos	subiremos	saber → sabré salir → saldré
compraréis	comeréis	subiréis	tener → tendré venir → vendré
comprarán	comerán	subirán	

- Use the future to:
  – indicate what will happen or take place
  Vendrán a las cinco.
  – express an obligation
  No pasarán.
  – express a supposition, probability or surprise
  No tengo la menor idea qué hora será.
  Tendrá unos doce años.

- If you want to express 'will' or 'shall' in terms of willingness or a request use *querer* in the present tense:
  ¿Quieres decirlo otra vez?
  No quiere venir a esta casa.

9.8   The immediate future

Another way to indicate what is going to happen is to take the verb *ir* + *a* and add the infinitive.
Voy a escribir una carta.
¿A qué hora vas a venir?

9.9   The conditional tense

This is formed by taking the infinitive of regular verbs and adding the following endings:

-ía -ías -ía -íamos -íais -ían

Irregular conditionals have the same endings as the regulars – it is the stem that changes, in the same way as in the future tense (see 9.7 above).

comprar	comer	subir
compraría	comería	subiría
comprarías	comerías	subirías
compraría	comería	subiría
compraríamos	comeríamos	subiríamos
compraríais	comeríais	subiríais
comprarían	comerían	subirían

- Use the conditional to:
  – indicate what would, could or should happen
  Sería imposible irnos enseguida.
  Me gustaría ir a visitarla al hospital.
  – in 'if' clauses to say what could happen
  Sería una maravilla si llegaras a tiempo.
  – express supposition or probability in the past
  Tendría unos cinco años cuando nos mudamos de casa.
  – refer to a future action expressed in the past
  Dijo que vendría a las ocho en punto.

- Note that if you want to say 'would' in the sense of willingness or a request, use the verb *querer* in the imperfect tense:
  No quería comer nada.
  If you want to say 'would' in the sense of a habitual action in the past, use the verb *soler* in the imperfect tense:
  Solía visitarnos cada sábado por la tarde.

9.10 Compound tenses: the perfect tense

Compound tenses have two parts – an auxiliary verb and a past participle. The two parts must never be separated.

The perfect tense is formed by using the present tense of *haber* (the auxiliary verb) plus the past participle of the verb you want to use.

haber	comprar	comer	subir	cortarse
he	comprado	comido	subido	me he cortado
has				te has
ha				se ha
hemos				nos hemos
habéis				os habéis
han				se han

Reflexive verbs in the perfect tense need the reflexive pronoun before the auxiliary verb *haber*.

¿Qué te ha pasado? Me he cortado el dedo.

Some common irregular past participles

abrir	→	abierto	morir →	muerto
cubrir	→	cubierto	poner →	puesto
decir	→	dicho	romper →	roto
escribir	→	escrito	ver →	visto
hacer	→	hecho	volver →	vuelto

Compound verbs have the same irregular past participle as the original verb
descubrir → *descubierto*

The perfect tense is used in the same way as in English to indicate an action which began and ended in the same period of time as the speaker or writer is describing. It is used in a question which does not refer to any particular time.

- Two important exceptions:
  – talking about how long: Spanish uses the present tense where English uses the perfect
  Hace más de una hora que te espero.
  – to translate 'to have just': *acabar de* – *acabo de llegar*

- The perfect infinitive
  This is formed by using the infinitive of the verb *haber* plus the appropriate past participle.
  De haberlo sabido …
  Me gustaría haberlo terminado antes de las cinco.

9.11 Compound tenses: the pluperfect tense

This is formed by using the imperfect of the auxiliary *haber* and the past participle of the verb required.

había, habías, había etc. *comprado, comido, subido, dicho, hecho* etc.

Just as in English it is used to refer to an action which happened before another action took place in the past. *La cena ya se había terminado cuando ellos llegaron.*

- The same two exceptions apply as for the perfect tense:
  – *hacer* in time clauses: where English uses the pluperfect 'had', Spanish uses the imperfect *hacía*: *Hacía 20 años que vivía aquí.*
  – *acabar de* – 'had just': *Acababa de llegar cuando empezó a llover.*

9.12 The future and conditional perfects

These tenses are formed by using the future or conditional of the auxiliary verb *haber* and the past participle of the verb required.
Habrá terminado dentro de dos horas.
Habría terminado antes pero no vi la hora.
They both follow a similar pattern to the English to translate 'will have' or 'would have done something'.

9.13 Direct and indirect speech

- Direct speech is used when you quote the exact words spoken:
  Dijo: "Quiero verte mañana por la mañana".

- Indirect speech is used when you want to explain or report what somebody said:
  Dijo que me quería ver/quería verme el siguiente día por la mañana.

Remember you will need to change all parts of the sentence that relate to the speaker, not just the verb.

10 Verbs: the subjunctive mood

So far all the tenses explained have been in the indicative 'mood'. Remember the subjunctive is not a tense but a verbal mood. For its uses see 10.4. It is not used very often in English but is used a lot in Spanish.

10.1 The present subjunctive

This is formed by adding the following endings to the stem of the verb:

-ar: -e -es -e -emos -éis -en

compre, compres, compre, compremos, compréis, compren

-er/-ir: -a -as -a -amos -áis -an

coma, comas, coma, comamos, comáis, coman

suba, subas, suba, subamos, subáis, suban

Remember that some verbs change their spelling to preserve their sound, and that others – radical-changing verbs – change their root in the first, second and third person singular and plural. They follow this same pattern in the present subjunctive:

coger	coja, cojas, coja, cojamos, cojáis, cojan
cruzar	cruce, cruces, cruce, crucemos, crucéis, crucen
pagar	pague, pagues, pague, paguemos, paguéis, paguen
jugar	juegue, juegues, juegue, juguemos, juguéis, jueguen
dormir	duerma, duermas, duerma, durmamos, durmáis, duerman
preferir	prefiera, prefieras, prefiera, prefiramos, prefiráis, prefieran

Irregular verbs

Many of these are not so irregular if you remember that they are formed by taking the first person singular of the present indicative:

hacer → hago → haga, hagas, haga, hagamos, hagáis, hagan

Tener, caer, decir, oír, poner, salir, traer, venir and *ver* follow this pattern.

A few have an irregular stem:

dar	dé, des, dé, demos, deis, den
estar	esté, estés, esté, estemos, estéis, estén
haber	haya, hayas, haya, hayamos, hayáis, hayan
ir	vaya, vayas, vaya, vayamos, vayáis, vayan
saber	sepa, sepas, sepa, sepamos, sepáis, sepan
ser	sea, seas, sea, seamos, seáis, sean

10.2 The imperfect subjunctive

There are two forms of the imperfect subjunctive. Both forms are used but the *-ra* form is slightly more common and is sometimes used as an alternative to the conditional.

Take the third person plural of the preterite form minus the *-ron* ending and add the following endings:

compra -ron	comie -ron	subie -ron
comprara/se	comiera/se	subiera/se
compraras/ses	comieras/ses	subieras/ses
comprara/se	comiera/se	subiera/se
compráramos/semos	comiéramos/semos	subiéramos/semos
comprarais/seis	comierais/seis	subierais/seis
compraran/sen	comieran/sen	subieran/sen

Spelling change, radical-changing and irregular verbs all follow the rule of the third person plural preterite form.

hacer – hicieron – hiciera, hicieras
tener – tuvieron – tuviera, tuvieras
pedir – pidieron – pidiera, pidieras
dormir – durmieron – durmiera, durmieras
oír – oyeron – oyera, oyeras

10.3 The perfect and pluperfect subjunctives

These both use the auxiliary verb *haber* plus the past participle.

- The perfect uses the present subjunctive:

  haya comprado, hayas comprado, haya comprado, hayamos comprado, hayáis comprado, hayan comprado

- The pluperfect uses the imperfect subjunctive:

  hubiera/hubiese comido, hubieras/hubieses comido, hubiera/hubiese comido, hubiéramos/hubiésemos comido, hubierais/hubieseis comido, hubieran/hubiesen comido

10.4 Uses of the subjunctive

The subjunctive is used widely in Spanish, above all in the following cases.

- When there are two different clauses in the sentence and the subject of one verb
  – influences the other (with *conseguir, querer, permitir, mandar, ordenar, prohibir, impedir*)
  Quiero que vengas a verme esta tarde.
  – expresses a preference, like or dislike (with *gustar, odiar, alegrarse*)
  No me gusta que hagan los deberes delante de la tele.
  – expresses feelings of fear or regret (with *temer* or *sentir*)
  Temo que no vayan a poder hacerlo.
  – expresses doubt or possibility (with *dudar, esperar, puede que*)
  Dudamos que sea possible. Puede ser que venga mañana.

- With impersonal expressions with adjectives
  es importante que, es necesario que, es imprescindible que
  Es muy importante que tengas buena presencia en la entrevista.

- After expressions of purpose (with *para que, a fin de que*)
  Hablamos en voz baja para que los niños siguiesen durmiendo.

- After expressions referring to a future action (with *en cuanto, antes de que* etc.)
  Cuando vengas te lo explicaré.

- After expressions referring to concessions or conditions
  – provided that, unless
  Puedes acompañarme con tal de que te portes bien.

- In clauses describing a nonexistent or indefinite noun
  Buscamos una persona que pueda ayudarnos.

- In main clauses
  – after *ojalá* ('if only')
  – after words indicating 'perhaps' (*tal vez, quizás*)
  – after *como si*
  – after *aunque* meaning 'even if' (but not 'although')
  – in set phrases
  digan lo que digan, sea como sea, pase lo que pase

- after words ending in *-quiera* ('-ever')
  cualquiera, dondequiera

  Don't forget that when you make a sentence negative this often gives it an element of doubt:
  Creo que llegarán a tiempo
  but
  No creo que lleguen a tiempo

  Note the sequence of tenses using the subjunctive:

main verb	subjunctive verb
present future future perfect imperative	present or perfect
any other tense (including conditional)	imperfect or pluperfect

Exceptions:
'If I were to do what you are saying' = imperfect subjunctive: *Si hiciera lo que me dices*
'If I had' + past participle = pluperfect subjunctive – *Si lo hubiera sabido*: 'If (only) I had known'

11 The imperative

The imperative is used for giving commands and instructions. Positive form:

	tú	vosotros/as	usted	ustedes
comprar	compra	comprad	compre	compren
comer	come	comed	coma	coman
subir	sube	subid	suba	suban

Irregular verbs in the *tú* form:

decir → *di*   *hacer* → *haz*   *oír* → *oye*
poner → *pon*   *salir* → *sal*   *saber* → *sé*
tener → *ten*   *venir* → *ven*   *ver* → *ve*

NB Reflexive forms in the *vosotros* form drop the final *d*:

levantad + os   levantaos   sentad + os   sentaos
and the final *s* in the *nosotros* form:
levantémonos, sentémonos
Exception: *irse   idos*

Negative forms are the same as the present subjunctive.

		tú	vosotros /as	usted	ustedes
comprar	no	compres	compréis	compre	compren
comer	no	comas	comáis	coma	coman
subir	no	subas	subáis	suba	suban

Note how the positive and negative forms for *usted* and *ustedes* are the same.

Remember the use of the infinitive to give impersonal negative commands:
No fumar

Note that pronouns attach to the end of positive commands and immediately precede all negative commands:
Dámelo en seguida.
No, no se lo des ahora; dáselo más tarde.

12   Reflexive verbs

The reflexive pronoun – *me, te, se, nos, os, se* – is attached to the end of the infinitive form, the gerund and a positive imperative but is placed before all other forms.

- True reflexive forms are actions done to oneself:
  Me lavé la cara (reflexive)
  but
  Lavé el coche viejo de mi tío (non-reflexive)

- Some verbs change their meaning slightly in the reflexive form:
  dormir (to sleep) – *dormirse* (to fall asleep)
  poner (to carry) – *ponerse* (to put on clothes)

- Some verbs have a reflexive form but do not appear to have a truly reflexive meaning:
  tratarse de, quedarse, quejarse de

- Use the reflexive pronoun to mean 'each other':
  Nos miramos el uno al otro.

- The reflexive form is often used to avoid the passive (see section 13).

13   The passive

The passive is used less in Spanish than in English and mostly in a written form.
The structure is similar to English.
Use the appropriate form of *ser* plus the past participle which **must agree** with the noun. Use *por* if you need to add by whom the action is taken.
La ventana fue rota por los chicos que jugaban en la calle.
La iglesia ha sido convertida en un museo.
There are several ways to avoid using the passive in Spanish:

- Rearrange the sentence into an active format but remember to use a direct object pronoun.

- Use the reflexive pronoun *se*.

- Use the third person plural with an active verb.
  La iglesia, la conviertieron en museo.
  La iglesia se convirtió en museo.
  Convirtieron la iglesia en museo.

14   Ser and estar

Both these verbs mean 'to be' but they are used to indicate different circumstances.

- *Ser* denotes time and a permanent situation or quality, character or origin.
  Son las cinco en punto. Hoy es martes 22 de noviembre.
  Es abogado y es muy bueno. Es de Madrid y es joven.

  It is also used in impersonal expressions and with the past participle to form the passive.

- *Estar* denotes position and a temporary situation, state of health or mood.
  Tus libros están encima del piano.
  Estás muy guapa hoy.
  Estoy contenta porque mi papá está mejor de la gripe.

  It indicates when a change has taken place.
  ¿Está vivo o está muerto? Está muerto.
  Mi hermano estaba casado pero ahora está divorciado.

  It is used with the gerund to form the continuous tenses (see sections 9.3 and 9.6).

- Some adjectives can be used with *ser* or *estar*:
  Mi hermana es bonita.
  Mi hermana está bonita hoy.
  but some adjectives clearly have a different meaning when used with *ser* or *estar*:

listo	(clever/ready)
aburrido	(boring/bored)
bueno	(good by nature/something good at the time of speaking, e.g. a meal)
cansado	(tiring/tired)
malo	(bad by nature/something bad at the time of speaking, e.g. inedible)
nuevo	(new/in a new condition)
vivo	(lively/alive)
triste	(unfortunate/feeling sad)

15 Some verbs frequently used in the third person

The subject is often a singular or plural idea or thing.

gustar, encantar, interesar, molestar, preocupar, hacer falta
Me gustan las manzanas. Sí, me interesa mucho esa idea.
Nos hacen falta unas vacaciones.

Other verbs include those describing the weather:

Llueve a menudo durante el mes de abril.
Nieva en lo alto de las montañas.
Hace sol casi todos los días.

16 Impersonal verbs

Se is often used to indicate the idea of 'one' or 'you'/'we' in a general way (often in notices) and to avoid the passive in Spanish.

Aquí se habla inglés. English is spoken here.
Se prohíbe tirar basura. Do not throw litter.
Se ruega guardar silencio. Please keep quiet.
No se puede entrar. No entry.

Another useful impersonal expression is *hay que*:

Hay que salir por aquí. You have to go out this way.

17 Expressions of time

Hace and *desde hace* are used to talk about an action that started in the past and continues into the present. They are used with the present tense to indicate that the action is still going on.

¿Desde cuándo vives aquí?
¿Desde hace cuánto tiempo estudias español? Estudio español desde hace un año.

They are also used with the imperfect tense for actions that happened in the past.

¿Cuántos años hacía que vivías allí? Hacía tres años que vivía allí.

18 Verbs: miscellaneous

18.1 Some useful expressions which take an infinitive

Soler is used only in the present and imperfect to indicate the idea of 'usually':
Suelo levantarme temprano.
Acabar de is used to indicate 'to have just':
Acabo de entrar.
Ponerse a is used to indicate to set about doing something:
Me pongo a estudiar.
Volverse a is used to indicate doing something again:
Vuelve a salir.
Tener que is used to indicate having to do something:
Tengo que cocinar.
Deber is used to indicate to have to or 'must':
Debemos hablar en voz baja.

18.2 Some prepositions plus an infinitive: English '-ing'

antes de: antes de comenzar – before beginning …
después de: después de terminar – after finishing …
al + infinitive: al entrar – upon entering …
en vez de: en vez de llorar – instead of crying …

18.3 Useful expressions with *tener*, *dar* and *hacer*

tener	dar (se)	hacer
cuidado		buen/mal tiempo
	las gracias	caso de
frío	la vuelta	daño
	los buenos días	
miedo	pena	cola
	cuenta de	las maletas
razón	prisa	lo posible
sed	un paseo	el papel de
sueño		
suerte		

19 Numbers

19.1 Cardinal numbers

The number one and other numbers ending in *-uno* or *-cientos* agree with the noun they describe.
veintiuna mesas
Doscientos cincuenta gramos de mantequilla, por favor.

Uno changes to *un* before a masculine noun:
un litro de leche   *veintiún niños*

Ciento changes to *cien* before masculine and feminine nouns and before *mil* and *millones*:
Cien gramos de tocino, por favor.
cien niñas   *cien mil*   *cien millones*
but
Ciento cincuenta gramos de salchichón.
Doscientos gramos de queso, por favor.

19.2 Ordinal numbers

primero, segundo, tercero, cuarto, quinto, sexto, séptimo, octavo, noveno, décimo

From 11 (eleventh) onwards, cardinal numbers are usually used.
Carlos quinto but *Alfonso doce*

The ordinal numbers agree with the noun:

primero primera primeros primeras
último última últimos últimas
Primero changes to *primer* and *tercero* changes to *tercer* before a masculine noun:
el primer piso del edificio but *el primero de enero.*
Es el tercer viaje y la tercera vez que perdemos el tren.

20 Suffixes

These are endings which are added to nouns and sometimes adjectives and adverbs to give a particular emphasis or nuance to their meaning.

- The diminutives – *-ito/a*, *-cito/a*, *-illo/a* – add a feeling of affection and mean 'little'.
  ¡Qué hombrecito tan lindo! Es un chiquillo pequeñito.

- Augmentatives – *-azo/a*, *-ón/ona*, *-ote/ota* – emphasize the size of something.
  ¡Qué golpazo dio a la puerta!
  Es un muchachón grandote.

- Pejoratives – *-uco/a*, *-ucho/a*, *-uzo/a* – need to be used with care as they can cause offence!
  ¡Ay, qué gentuza tan feúca!

21 Stress and accents

Written accents are used for two important reasons:

1 To mark the spoken stress on a word which breaks the rules of stress.

- Words which end in a vowel, an *-s* or an *-n* have the stress on the second to last syllable.

  All words which end in a consonant (other than *-s* or *-n*) have the stress on the last syllable.

  Words which do not follow this rule have the stress marked by a written accent.

- Words which have two vowels together stress the 'strong' vowel (*a, e, o*) or if both are weak vowels (*i, u*) the stress falls on the second vowel.
  paella, delicioso, tierra
  Again if the word does not follow this rule the stress is marked by a written accent.
  país, oír, continúo (from *continuar*), *reúno* (from *reunir*)

2 To point up the difference between two words.

el the	*él* he
tu your	*tú* you
mi my	*mí* (to) me
si if	*sí* yes
se self	*sé* I know/be (imperative)
aun even	*aún* still
solo alone	*sólo* only
hacia towards	*hacía* he/she/it used to do

Remember that all interrogative, exclamative and demonstrative pronouns take an accent.

22 Verb tables

Regular verbs

Infinitive Present participle Past participle	Present	Imperative	Preterite	Imperfect	Future	Conditional	Subjunctive
-ar **comprar** *to buy* comprando comprado	compro compras compra compramos compráis compran	compra compre comprad compren	compré compraste compró compramos comprasteis compraron	compraba comprabas compraba comprábamos comprabais compraban	compraré comprarás comprará compraremos compraréis comprarán	compraría comprarías compraría compraríamos compraríais comprarían	compre compres compre compremos compréis compren
-er **comer** *to eat* comiendo comido	como comes come comemos coméis comen	come coma comed coman	comí comiste comió comimos comisteis comieron	comía comías comía comíamos comíais comían	comeré comerás comerá comeremos comeréis comerán	comería comerías comería comeríamos comeríais comerían	coma comas coma comamos comáis coman
-ir **subir** *to go up* subiendo subido	subo subes sube subimos subís suben	sube suba subid suban	subí subiste subió subimos subisteis subieron	subía subías subía subíamos subíais subían	subiré subirás subirá subiremos subiréis subirán	subiría subirías subiría subiríamos subiríais subirían	suba subas suba subamos subáis suban

Radical-changing verbs

pensar — pienso piensas piensa pensamos pensáis piensan
piensa piense pensad piensen
pensando pensado

volver — vuelvo vuelves vuelve volvemos volvéis vuelven
vuelve vuelva volved vuelvan
volviendo vuelto

sentir — siento sientes siente sentimos sentís sienten
siente sienta sentid sientan
sintiendo sentido

dormir — duermo duermes duerme dormimos dormís duermen
duerme duerma dormid duerman
durmiendo dormido

pedir — pido pides pide pedimos pedís piden
pide pida pedid pidan
pidiendo pedido

Irregular verbs

Infinitive	Present	Future	Preterite	Imperfect	Participles
dar *to give*	doy das da damos dais dan	daré darás dará daremos daréis darán	di diste dio dimos disteis dieron	daba dabas daba dábamos dabais daban	dando dado
decir *to say*	digo dices dice decimos decís dicen	diré dirás dirá diremos diréis dirán	dije dijiste dijo dijimos dijisteis dijeron	decía decías decía decíamos decíais decían	diciendo dicho

Verb tables

Irregular verbs (continued)

Infinitive	Present	Future	Preterite	Imperfect	Participles
estar *to be*	estoy estás está estamos estáis están	estaré estarás estará estaremos estaréis estarán	estuve estuviste estuvo estuvimos estuvisteis estuvieron	estaba estabas estaba estábamos estabais estaban	estando estado
haber *to have* *(auxiliary)*	he has ha hemos habéis han	habré habrás habrá habremos habréis habrán	hube hubiste hubo hubimos hubisteis hubieron	había habías había habíamos habíais habían	habiendo habido
hacer *to do,* *make*	hago haces hace hacemos hacéis hacen	haré harás hará haremos haréis harán	hice hiciste hizo hicimos hicisteis hicieron	hacía hacías hacía hacíamos hacíais hacían	haciendo hecho
ir *to go*	voy vas va vamos vais van	iré irás irá iremos iréis irán	fui fuiste fue fuimos fuisteis fueron	iba ibas iba íbamos ibais iban	yendo ido
poder *to be able*	puedo puedes puede podemos podéis pueden	podré podrás podrá podremos podréis podrán	pude pudiste pudo pudimos pudisteis pudieron	podía podías podía podíamos podíais podían	pudiendo podido
poner *to put*	pongo pones pone ponemos ponéis ponen	pondré pondrás pondrá pondremos pondréis pondrán	puse pusiste puso pusimos pusisteis pusieron	ponía ponías ponía poníamos poníais ponían	poniendo puesto
Ser *to be*	soy eres es somos sois son	seré serás será seremos seréis serán	fui fuiste fue fuimos fuisteis fueron	era eras era éramos erais eran	siendo sido